{見る・知る・考える}

明治日本の産業革命遺産

Heritage of the Industrial Revolution in Meiji Era

日本と世界をつなぐ世界遺産

岩下哲典
藤村泰夫＝編

勉誠出版

明治日本の産業革命遺産
8つのエリアと23構成資産

※本書の萩・長崎エリアの資産の順番は論述の都合により、世界遺産に登録された際の資産の順番とは変えています。
※高島炭坑、端島炭坑の表記については、本書では鉱山全体を説明する意味で、一部を除き、高島炭鉱、端島炭鉱を用いています。
※カラー口絵に取り上げた図版は、本文のキャプションの右肩に＊印をつけています。

八幡
福岡県北九州市・中間市

- 官営八幡製鐵所
- 遠賀川水源地ポンプ室

萩　山口県萩市

- 萩城下町
- 萩反射炉
- 恵美須ヶ鼻造船所跡
- 大板山たたら製鉄遺跡
- 松下村塾

佐賀　佐賀県佐賀市

- 三重津海軍所跡

長崎　長崎県長崎市

- 旧グラバー住宅
- 小菅修船場跡
- 高島炭鉱
- 端島炭鉱
- 三菱長崎造船所旧木型場
- 三菱長崎造船所占勝閣
- 三菱長崎造船所第三船渠
- 三菱長崎造船所ジャイアント・カンチレバークレーン

鹿児島　鹿児島県鹿児島市

- 旧集成館
- 寺山炭窯跡
- 関吉の疎水溝

釜石

橋野鉄鉱山　三番高炉跡（今野日出晴撮影）→20頁

韮山

韮山反射炉
（「明治日本の産業革命遺産」世界遺産協議会提供）
→26頁

萩

（上） 萩城下町　木戸孝允旧宅
→32頁

（下左） 萩反射炉
→40頁

（下右） 恵美須ヶ鼻造船所跡
→46頁

（いずれも道迫真吾撮影）

大板山たたら製鉄遺跡（萩市文化財保護課提供） →52頁

松下村塾（道迫真吾撮影） →58頁

鹿児島

（上）旧集成館反射炉跡
→64頁
（中）旧集成館機械工場　尚古集成館外観
→68頁
（下）旧鹿児島紡績所技師館　異人館外観
→70頁
（いずれも鹿児島県世界文化遺産室提供）

寺山炭窯跡（鹿児島県世界文化遺産室提供）　→76頁

関吉の疎水溝（鹿児島県世界文化遺産室提供）　→80頁

三重津海軍所跡（佐賀市提供） →84頁

三重津海軍所跡のドライドック遺構（佐賀市提供） →84頁

旧グラバー住宅（新木武志撮影）　→90頁

小菅修船場跡（新木武志撮影）　→96頁

高島炭坑（長崎市世界遺産室提供）　→102頁

端島炭坑（「明治日本の産業革命遺産」世界遺産協議会提供）　→108頁

三菱長崎造船所旧木型場（新木武志撮影） →114頁

三菱長崎造船所占勝閣（新木武志撮影） ※一般非公開 →118頁

三菱長崎造船所第三船渠（三菱重工業（株）提供）　※一般非公開　→122頁

三菱長崎造船所ジャイアント・カンチレバークレーン（新木武志撮影）　※一般非公開
→128頁

三池

（上）　三池炭鉱宮原坑　→140頁
（下右）三池炭鉱万田坑　→141頁
（下左）三角西港　→148頁
（「明治日本の産業革命遺産」世界遺産協議会提供）

官営八幡製鐵所　旧本事務所（日本製鉄（株）九州製鉄所提供）
※一般非公開（眺望スペースから外観を見学することができる） →158頁

官営八幡製鐵所　旧鍛冶工場（日本製鉄（株）九州製鉄所提供）　※一般非公開
→160頁

遠賀川水源地ポンプ室　外観（日本製鉄（株）九州製鉄所提供）
※一般非公開（眺望スペースから外観を見学することができる）　→164頁

遠賀川水源地ポンプ室　内観（日本製鉄（株）九州製鉄所提供）　※一般非公開
→167頁

はじめに　幕末の対外的危機感と情報活動が生んだ世界遺産

ユネスコ世界文化遺産「明治日本の産業革命遺産――製鉄・製鋼、造船、石炭産業」（以下、「明治産業遺産」）は、日本人にとってなかなか理解しにくい遺産です。というのも、遺産登録への発端が、現代の西洋人による驚きから始まり、西洋人によって取捨選択された資産から成り立っているからです（松尾千歳氏の教示）。また、資産が八県にまたがり全資産数が二三もあることに加えて、従来の文化庁による申請ではなく、内閣官房による調整と申請が行われました。かつ、構成資産の中に朝鮮半島からの人々による強制労働があるとした韓国からの抗議もあって、何から何まで異例づくめでした。そのようなわけで、もともと、分かりにくい資産であると思います。

さらに、諸般の事情により、入るべき資産が入っていなかったり、既に世界遺産となっている富岡製糸場などとの関連もよくわからないままです。そもそも日本に「産業革命」があったのかに関しても、これまでの歴史研究の中で十分な議論がなされてきたとは思えません。登録に尽力された関係者には申し訳ないのですが、「見切り発車的遺産」「未完成遺産」「これからも見直しあるべき遺産」とでも言ってみたくなるような遺産です。

でも、ちょっと待ってください。世界遺産には「顕著で普遍的な価値」があってこそ登録が認められるのです。だれもが「人類の宝」と思えるすばらしい価値があるのです。それを知りたいとは思いませんか。

だからこそ、ここで、遺産理解の為の整理をしておきたく思います。せっかく世界遺産になったのですから「人類の宝」を知らないままでは、「もったいない」と思うのです。

本遺産を理解するには、時系列に並べて、世界史的なことがらや背景・周辺事情を知るのが近道だと思います。以下はその試みの一つです。

時と舞台は、一八〇八年（文化五）の長崎です。当時は、江戸時代後期にあたり、いわゆる「鎖国」時代でありましたが、長崎だけは、オランダ・清に開かれた国際貿易港でありました。そこにオランダ船かと思いきや、なんとイギリス軍艦フェートン号が不法侵入して三日間居座ったのです。この時の長崎防衛担当は佐賀藩だったのですが、通常の警備兵員定員を半分ほどに減らしていました。また日本側の大砲は旧式だったため、結局、打ち払うことが出来ず、フェートン号の要求を呑んで、食料や薪を供給しました。フェートン号は悠々と長崎港を出ていきましたが、責任者の長崎奉行松平康英（まつだいらやすふさ）は、自責の念にかられ、かつ役に立たなかった佐賀藩への抗議の為、切腹しました。佐賀藩も警備担当者数名が切腹しましたが、幕府から藩主が一〇〇日の逼塞（自宅謹慎）を命じられました。佐賀藩にとっては、立藩以来の大失態、藩存亡の危機です。藩士たちは、一生懸命に海外国際情報と西洋軍事技術情報の収集・分析・活用（以下、情報活動）を行うことになりました。もちろん、佐賀藩と共に長崎防衛を担当した福岡藩や琉球王国を事実上支配していた薩摩藩も同様に危機感を持って情報収集活動を行いました。英艦フェートン号はナポレオン戦争の余波で、敵国フランスの軍艦が長崎湾内にいないか偵察のため侵入したのです。「いわゆる鎖国」の日本も世界史の動きの中で世界を意識せざるを得ない状況になっていたのです。

九州諸藩は、多かれ少なかれ長崎防衛を担当させられますから、情報活動は各藩の行うべき最重要な案件だったのです。その後、大きなものでは、ロシアの南下やイギリス・フランスの日本接近、アヘン戦争情報、オランダ国王開国勧告、ペリー来航予告情報などが、北方や、主として長崎から幕府に伝えられます。当然にして、九州諸藩は長崎奉行所に働きかけ情報の収集に精を出します。なぜなら幕府が最先端の情報を握っていたからです。もちろん、オランダの書物や出島のオランダ人からも情報を収集したのです。

やがてペリー艦隊が実際に浦賀や横浜、箱館・下田などに来航し、その大砲や蒸気軍艦の威力を目の当たりにしたサムライたちは、このままでは日本がアヘン戦争で敗れた清国の二の舞になりかねない、収集した技術情報を活用して西洋諸国と同じ大砲や軍艦を造らねば、日本は西洋列強の植民地になりかねないことを自覚します。危機が現実のものになったのです。

サムライたちは考えました。西洋列強発展の基本には学問がある。皆で学びあい、皆で純度の高い鉄や青銅を作り、日本人の力で大砲や軍艦をつくることが西洋列強の魔の手から日本を守ることだと認識していきます。それゆえ城下町の藩校の中に西洋学研究の部門を開設します。また、民間の中には西洋事情や政治を論ずる私塾もありました。萩城下の明倫館や松下村塾がその代表です。また、高純度の鉄や青銅をつくる西洋式反射炉を、西洋の辞書や専門書などの記述だけをたよりに、城下郊外や藩主別邸などに造りあげ、実験を繰り返しました。たとえば、薩摩藩の集成館・幕府の韮山（にらやま）の反射炉、南部藩の釜石洋式高炉、萩藩の反射炉などです。何しろ、辞書と専門書の文字と図版だけで、しかも日本人だけで、最先端の西洋科学技術を再現しようというのですから、実にたいしたものです。これが最初の方で紹介した現代西洋人の驚きだったのです。

結局、サムライ達の目指す、製鉄の国産化は、途中の断絶があって、日清戦争の賠償金を得たことで二〇世紀初頭に官営八幡製鐵所の操業によって本格的に実現することになりました。

一方、蒸気機関や西洋式の造船も同じ様に行われました。これも薩摩藩の集成館や佐賀藩の三重津海軍所、幕府や土佐藩がかかわった長崎製鉄所、それを受け継いだ三菱造船所（第三船渠、ジャイアント・カンチレバークレーン、旧木型場）などにその痕跡が見られます。そして蒸気機関を稼働させるには熱効率のよい良質の石炭が必要でした。長崎の高島・端島（はしま）炭鉱、三池炭鉱やその積み出し港である三角港・三池港はその好例です。

つまり、一九世紀初頭の日本のサムライたちが感じた対外的危機認識が、比較的速く、西洋の最先端科学技術を我がものにしたという、驚異的な事実、非西洋国でそれを成し遂げたという事実、それを端的に示すのが本資産ということになるのです。これが顕著で普遍的な価値と考えられるものです。

なお、東京都滝野川の幕府反射炉跡、鳥取県北栄町の農民による反射炉跡、長崎海軍伝習所跡、長州藩三田尻海軍所跡、勝海舟の神戸軍艦操練所跡、幕府戸田造船場跡、幕府の西洋式軍艦を造船した浦賀湾や伊豆の戸田、横須賀造船所、幕府築地軍艦操練所跡なども、保全やストーリー等の問題があるものの、「明治産業革命」というならば、当然入れなければならない資産です。こうした資産はまだまだ多いことも指摘しておきたいと思います。

これらのことを事前学習のうえ、個々の資産への旅をしていただけましたら、少しわかりやすくなるのではないかと思いました。ぜひ、まずは本書で「明治産業遺産」への旅をどうぞお楽しみください。教育や学習への提言が書かれた各資産解説および祐岡論文の「もっと深く知るために」、巻末の関連年表は、旅の復習のよき指針となるでしょう。

二〇二二年一一月

岩下哲典

目次◉見る・知る・考える

明治日本の産業革命遺産——日本と世界をつなぐ世界遺産

明治日本の産業革命遺産の見どころ

※本書の萩・長崎エリアの資産の順番は論述の都合により、世界遺産に登録された際の資産の順番とは変えています。
※高島炭坑、端島炭坑の表記については、本書では鉱山全体を説明する意味で、一部を除き、高島炭鉱、端島炭鉱を用いています。
※カラー口絵に取り上げた図版は、本文のキャプションの右肩に＊印をつけています。
※本文には、差別語、差別的なニュアンスのある用語が含まれ、これらは現代社会においては、不適切な表現とされています。ただし、歴史的、時代的背景を反映させて記述したい意図からあえて用いることにしました。多様な今日の社会においては差別を解消していく努力を怠ってはならないことは言うまでもありません。

岩下哲典

総説　サムライ・スピリットの世界遺産

はじめに

「明治日本の産業革命遺産――製鉄・製鋼、造船、石炭産業」（以下、「明治産業遺産」）は、江戸時代につくられた城下町や私塾、産業遺跡から、現代において稼働している遺産まで二三ものサイトがつらなった日本全国にわたる文化遺産です。このように空間的にもスケールが大きく、「明治日本」と言いながら現在も稼働している資産もあるため、江戸時代から明治・大正・昭和・平成・令和と時間的にも長いことから、この世界遺産は一見してわかりにくいかもしれません。

そこで本稿では、「明治産業遺産」を「サムライたちの世界遺産」として理解してみようと思います。「明治産業遺産」には「サムライ・スピリット」が濃厚に見え隠れしていると思うのです。

さて、江戸時代の日本は、海外とはいわゆる「鎖国」（「海禁」政策ともいいますが、ここではいわゆる「鎖国」とします）という状態でありました。キリスト教が禁止され、正式な外交関係があるのは、朝鮮王国と琉球王国のみでありました。海外貿易は長崎一港に限られ、オランダ船と中国船のみが入港を許されていました。外交の権能は幕府が司り、貿易は長崎の特定商人たちが幕府の監督のもとに行っていたのです。そして、見慣れない異国船が海岸線から見える所に出没した場合には、全国の諸藩主・領主は、できるだけ速やかに幕府に通報し、さらに軍勢を出して、異国人が上陸しないように海岸線を警戒しなければなりませんでした。さらに、長崎から入ってくる海外情報は、オランダ商館や中国商人経由であり、限定的でした。また、長崎で輸入できる書籍も限られていましたし、「目利（めきき）」と呼ばれる役人が、キリスト教などに関する記述に特別に目を光らせていたのです。

ところが、一八五四年日米和親条約が、幕府とアメリカ使節ペリーとの対等な条約交渉の末に締結され、つづいて、一八五八年日米修好通商条約も締結されました。こうして日本は、欧米列強の進出による植民地化の危機にさらされることになってしまいました。ところが、いわゆる「鎖国」だった日本は比較的早く、欧米並みの「海洋国家」に脱皮し、欧米列強の植民地化を免かれたのです。なぜ、免れることができたのでしょうか。

私は、その答えとして「明治産業遺産」を挙げたいと思います。そして、その背景にある「サムライ・スピリット」を強調したいと思うのです。

江戸のサムライ

まずは、「サムライ」の在り方から見ていきましょう。江戸のサムライには、将軍を頂点に幕臣、それから藩主、藩士、また公家や寺に奉仕する侍、町や村々に住む郷士などさまざまな存在のかたちがありました。概して所領と武器を持った主人とその家臣であり、御恩（所領や俸給・武器等の下賜）と奉公（軍役の負担）の主従関係にあったといえます。

たとえば、幕臣は徳川幕府に所属し将軍に奉仕し、藩士は各藩に所属し藩主に奉仕しました。将軍や藩主は家臣に所領や俸禄・武器等を与えました。サムライは主人を持ち、その家臣として属している、大小の刀（殺傷の権限を有する象徴）を持つ者です。もちろん、中世には武士でしたが、江戸時代初頭に帰農し農民になっていたサムライ（郷士）もいたわけです（この場合も武器を有しています）。ともかく旗本や御家人は、主人である将軍に奉仕し御恩としての禄（俸給）をいただく。藩士も藩主に奉仕し御恩を賜る。「主人大事」と奉仕することがサムライの本分でありました。

江戸時代、長崎の防衛を担当した佐賀藩と福岡藩には、なんと「捨足軽（すてあしがる）」なる自爆戦闘員がいたことはあまり知られていません。捨足軽は、万が一、日本側の大砲などが有効ではない、強力な異国船が長崎に入港したら、その異国船にどうにかして乗り込んで、体に隠し持った火薬に火をつけ、自爆して船ごと沈めるという戦闘員で、両藩の秘密兵器だったのです。捨足軽は、まさに長崎防衛の軍役を行う、佐賀藩と福岡藩の藩主のためにその身を挺して、捨て石となる足軽であったのです。おそらく戦闘で亡くなった場合は、捨足軽の家は将来にわたって藩主や藩のため身を捨てたと称賛され、「名誉の家」となったと考えられます。つまるところサムライは「主人大事」と身を挺して奉仕することが求められました。それが彼らの在り方のひとつだったのです。

サムライの世界認識

いわゆる「鎖国」時代でも、長崎や江戸近海、大坂湾、琉球、箱館などの重要拠点を防衛する藩のみならず、全国の海岸線を持つ諸藩は、異国船の出没や異国人の上陸を通じて異国に関心を持たざるを得なかったのが実態です。自領の漂流民が帰国した時などは、藩の洋学者や儒学者などが漂流民の尋問にあたり漂流記を編纂しました。これは不定期的な海外情報といえましょう。

一方、長崎から入ってくる定期的な海外情報にオランダ貿易船がもたらすオランダ風説書(ふうせつがき)と中国貿易船の唐風説書がありました。いわゆる「鎖国」が始まった江戸時代前期のおわりごろから長崎で作成され、江戸の老中(ろうじゅう)等に提供された定期的な海外情報です。特別な事件、例えばアヘン戦争情報などの特別な情報は、別段風説書として長崎出島のオランダ商館から提供されました。これら風説書は幕府が管理統制していた情報で、幕府内部以外に、つまり外部に伝達する制度は確立していなかったのです。しかし、長崎防衛を担当する佐賀藩や福岡藩、また琉球を事実上占領していた薩摩藩などは、オランダ商館出入りのオランダ通詞（貿易とオランダ人の生活全般に関与した通訳官、長崎の町役人）から風説書や別段風説書を内内に提供されており、それはなかば長崎奉行も黙認していたのです。

たとえば佐賀藩はアヘン戦争情報から南京条約などや世界情勢が収録された別段風説書をその発祥から終焉にいたるまで網羅的に収集していたことが知られます。福岡藩や薩摩藩も同様であったと思われます。薩摩藩ではそのような情報は藩主や家老といった上層部にまで伝達していたことがわかっています。

別段風説書のうちで、特に著名な「ペリー来航予告情報」は、長崎奉行が箝口令を敷いていましたが、早い時期から薩摩藩主島津斉彬は入手していました。そして志を同じくする仲間の大名、宇和島藩主伊達宗城には提供していたのです。伊達は、常々そうした情報を入手したいと思っていましたが、なかなか独自には入手できない場合もありました。そこで島津に内密に回してもらっていたのです。そしてその情報を福井藩主松平慶永に知らせました。そのため情報は、慶永によってなんと水戸斉昭にまで達していたのです。

また一方、福岡藩主黒田斉溥は、島津や尾張藩主徳川慶勝などの支持のもと老中阿部正弘に、ペリー来航前に、対外問題の方針の速やかな決定と海外情報の公開や海軍建設を提唱し、米国に漂流して帰国した漁民中浜万次郎に幕府が諮問すべきだとする驚くべき意見書を書きました。そしてペリー来航六か月前に、ただ一人単独で、外様大名にもかかわらず幕府に提出していたのです。

概して九州雄藩の藩主の情報アンテナの感度は、相当高かったといえましょう。ただし、九州以外でも盛岡藩や仙台藩、水戸藩、古河藩（現在の茨城県古河市にあった藩）などはオランダ風説書や海外事情関係史料を比較的多く収集しています。海岸防備体制は全国にわたっており、地域を限らないことはいうまでもありません。海岸防備のための情報収集は、全国的におこなわれていたと考えた方が実態に近いと思います。ぜひ皆さんのお住まいの地にあった藩などが、海外情報をどのように収集・分析・活用していたのか調べてみて下さい。

しかし、問題は、情報を入手しても正確に分析して有効に活用できるだけの知識を持ち合わせているかです。例えば「ペリー来航予告情報」の場合、「蒸気仕掛軍船」とか「コルフェット船」（コルベット船：当時は、帆装軍艦のこと）など西洋の軍事知識が必要です。また「北アメリカ供和政治の政府」が軍艦を派遣するなどの政治情報が収録されていました。「北アメリカ」はどこにあるのか、「供和政治の政府」とは何かが分かっていなければ情報の真意がわかりません。ましてや「カリフヲルニー」と「唐国」との「蒸気船の通路」のため日本にやってくると書かれていますが、「カリフヲルニー」とはどこなのか、「蒸気船の通路」とは何かなど、情報を理解するのに必要な背景情報や知識（地理や西洋社会の情報・知識）などがなければ、なかなか理解することは難しいのではないでしょうか。

もちろん、江戸中期の幕府の儒学者新井白石が著した海外事情書・世界地理書「采覧異言（さいらんいげん）」（一七一三年序文）や江戸後期の土浦藩士で蘭学地理者山村才助が作成した『訂正増訳　采覧異言』（一八〇二年頃成立）などを参照して情報を理解しようとすることもできると思うでしょう。ところが、それらの本には

「北アメリカ」の記事はないのです。なぜなら、アメリカの独立は一七八三年でしたが、オランダ商館がそのことを伝えなかったため、それらの本には「北アメリカ共和政治の政府」のことが全く書かれていなかったのです。もちろん、白石の「采覧異言」執筆はアメリカ独立のずっと前ですから、無理からぬことですが、最新の情報を収録して更新することができていないということなのです。それがいわゆる「鎖国」の実態でした。

ペリー来航直前の世界事情書・地理書としては、津山藩医の箕作阮甫の娘婿省吾による『坤輿図識』(一八四五年刊)および阮甫による『坤輿図識補』(一八四六年刊)がありました。これは、世界地誌やワシントンやナポレオンの伝記も収録されていて、また『新訳輿地全図』という最新の世界地図も箕作家から出版されていて、合わせて読めばきわめて便利なものでありました。ここには「北アメリカ」も詳述されているのです。なお、阮甫には蒸気船や気球に関する著作もあり、蒸気船のそれは薩摩の島津斉彬のために翻訳したものです。こうした知識や情報があって、特別な情報を分析して、はじめて情報の活用が可能になるのです。

ペリーが浦賀に来航した直後、対外意見書の提出を老中阿部正弘から求められた諸藩は、重要なお役目、軍役として建白書を提出しました。しかし、開明的な開国論を展開したのは、来航前にも単独で建白した黒田と阮甫の主人津山藩主松平斉民ぐらいで、多くが攘夷論つまり異国船は打ち払うべきという論か、または、我々は幕府の方針に従いますというおよそ定見のないものもいたのです。このことは、つまり全国の多くの大名とその家臣がきちんとした知識や情報を十分には持ち合わせていなかったことを意味しています。

ペリー来航前後、サムライの世界認識は、概して薩摩・長州・土佐・佐賀などの西南雄藩（せいなんゆうはん）のほうが感度が高かったといえます。それは、長崎警備や琉球防衛という西洋船舶の影響を比較的受けやすい地理的、政治的条件があったからです。ただし、日本全国の海岸防衛が意識されていたことから、概してサムライの世界認識への感度は、東アジア諸国のなかでは比較的高かったということができるのではないでしょうか。それが、日本が欧米の植民地にならなかった理由の一つかもしれません。知っていることは重要です。

産業革命はあったのか

よく近代化政策は、天保期（一八三〇〜一八四四）に始まったとされますが、老中水野忠邦（みずのただくに）の天保改革や諸藩の改革がどの程度「近代化」を志向していたのかについては議論の余地があると思います。しかしながら、社会不安による内乱やアヘン戦争情報の伝播など「内憂外患（ないゆうがいかん）」にサムライたちは対応せざるを得なかったのです。なぜなら、天下の万民が安寧に暮らしをおくれるように、武器を持って国を守るのがサムライの務めであり、それゆえに百姓（農民）から年貢を徴収し武芸に励むのが、サムライの本分とされたからです。そうしたサムライの主人が将軍であり、藩主でありサムライは「主人大事」と異国や異国人と戦うものとされたのです。

まして、アメリカ合衆国海軍のペリーが軍艦四艘を率いて、江戸湾内の浦賀に来航した時、「征夷大将軍」の幕府はどうしたでしょうか。情報を事前に知っていた幕府は、アメリカ合衆国大統領親書を受け取り、一年後に返事をすると約束したのです。長州浪人吉田松陰はこれを、アヘン戦争に敗北した中国のイギリスへの卑屈な対応と軌を一にするものだと幕府への批判を強めました。翌年、幕府は対等な交渉の末とはいえ、いわゆる「日米和親条約」を締結したのです。幕府が、アメリカにどのような対応をするかは全国のサムライの注目するところでした。

仙台藩儒者大槻磐渓（おおつきばんけい）は、藩主伊達慶邦（だてよしくに）への報告用に「金海奇観」という絵巻物を作成しました。これは黒船関係絵巻の最高傑作です。そこにはアメリカ軍艦、応接所（条約締結交渉の建物）の平面図やアメリカ軍人軍装、最新式コルトピストルと関連諸道具、ボート積載野戦砲、アメリカ側交渉担当者、蒸気機関車や客車、線路、電信機などが詳細に描かれていました（早稲田大学図書館のホームページで絵巻の全画面を見ることができます）。これなどは西洋最新科学技術に、サムライがいかに冷静に観察したかがわかる史料です。

例えば、コルトピストルは、分解用工具や分解図、弾丸鋳造具、火薬入れなど、ピストルを実用品として利用する時の必要な道具まで書き込んでいます。それゆえ、水戸藩士はこの図などを用いて、コルトピストルを忠実に鋳造再現させました。桜田門外の変で井伊直弼を旧水戸藩士らが襲撃した際に、このコルトピストルの模造品を使用したとされているのです。絵から本物を制作するという「モノづくり」に長じた日本のかつての様相がありありとわかるエピソードです。

在来技術や知識をもとに、つまり零細な新たな情報だけで再現する、これが江戸のモノづくりであり、サムライたちの世界遺産たる明治日本の産業革命遺産にも通底するものです。すなわち、サムライたちは、蘭書・洋書などの限定的な情報を頼りに、試行錯誤を繰り返し、倦まず弛まずに目的を達成したのです。それは、藩主のため、藩のため、民のためでもありました。その結果が、反射炉や大砲鋳造、造船ドックの建設、蒸気機関の製作などであったのです。

たとえ条約を締結した後も、いわゆる「鎖国」状態が長く続いたために、海外に渡航して西洋技術を学ぶことは、薩摩や長州など一部の藩士を派遣した密航留学生以外にはほとんどなく、近代工業の萌芽の多くが国内で試行錯誤によって行われたのでした。このことだけをもって「産業革命」というのは、いささか躊躇を感じないわけではありませんが、わが国の近代化の特徴は、限られた情報・知識の中で、試行錯誤を繰り返し欧米の工業技術を体得したことが大きな特徴だといってよいでしょう。そこには、藩主のため、藩のため、民のために尽力する「サムライ・スピリット」が色濃く反映されているのではないでしょうか。海防・国防を担うサムライとしての「矜持」がなければ明治日本の産業革命はなしえなかったと言っても過言ではないと思います。その具体的な諸相は各稿に譲りたいと思います。

サムライ・スピリットと明治産業革命遺産

日米和親条約締結直後に、下田停泊中のペリー艦隊に米国密航留学を依頼したのが吉田松陰とその弟子金子重之輔（助）でした。しかし、幕府の放った隠密ではないかと疑ったペリーによって、彼らの望みはあえなく拒否されました。やむなく、二人は下田奉行所に自首して故郷萩に戻され、獄に収監されてしまいました。その後、金子は獄死し、松陰は出獄して自宅の一室で私塾を始めます。これは叔父玉木文之進が開いた松下村塾を継承したものです。松陰は、塾生一人一人の学習の習熟度に合わせた教材を与えました。当時の社会、彼らにとっては、まさに現代社会に関わる題材、政治や外交を教材にして、塾生ともに学んでいったのです。それは、危機的な現状をこのまま座視していてよいのかという、民衆を支配するサムライとしての在り方をおおいに揺さぶるものでもあったようです。

一方、幕府は、オランダに依頼して長崎で海軍伝習をおこないました。これはのちに、江戸築地海軍操練所や勝海舟が提唱した神戸海軍操練所の開設、諸藩の海軍創設につながり、西洋軍事技術や航海術、また西洋文化そのものの習得と、全国的普及につながったともいえましょう。また海軍伝習の成果は、今日的に見ればいささか無謀の観もありますが、咸臨丸によるアメリカ渡航にも結実しました。さらに前記したように諸藩の海軍の源流にもなったのです。すなわち、佐賀・薩摩・長州藩等、明治産業革命遺産の構成要素のサイトは、海軍に関連するサイトなのです。そしてまた長崎製鉄所も海軍伝習に源流を求めることができます。この製鉄所は軍艦の修理所の要素が大きく、長崎は西洋列強艦隊の集結地ともなり、特に長崎はロシア極東艦隊の主要寄港地となって発展したのです。江戸近郊にも幕府によって横須賀製鉄所が建設され、軍艦の修理や建造がおこなえるようになりました。

このように、サムライの世界遺産たる明治産業革命遺産の中には藩独自のものではありますが、幕府や藩あるいは藩と藩などのネットワークや歴史的状況に規定された部分もあるのです。地域アイデンティティは重要ですが、それだけではなく、幕府の施策による「近代化」も当然にしてあったわけです。

サムライ・スピリットの源流はナポレオン？

以上みてきたように、明治産業革命遺産の反射炉などの製鉄施設や造船所などは、西洋工業・軍事技術を日本に受容しようとする、サムライたちの知的営みです。そしてそれは、在来知・在来技術の応用でもあり、現在でも随所にみられるものなのです。またその気概、つまりサムライ・スピリットは、伊豆韮山の反射炉や近接する江川代官屋敷、鹿児島の尚古集成館や萩の松下村塾に行って、見て、触れて、はじめて感じることが可能なのです。そこには「自力の近代化」を成し遂げようというサムライ・スピリットがあるのです。

しかし、そのサムライ・スピリットの源流の一つに、皮肉にも、佐久間象山（さくましょうざん）や松陰や西郷隆盛が欽慕（きんぼ）したフランス皇帝ナポレオンの生涯の一部を翻訳した、蛮社の獄の最初の犠牲者小関三英の『那波列翁伝初編（なぽれおんでんしょへん）』があったことはあまり知られていないと思います。

象山はナポレオンを欽慕する漢詩を書いていますし、松陰は最初、ナポレオンを暴君と考えていましたが、晩年には日本が「独立不羈（どくりつふき）」（独立してどこの国の領土にもならない）のためにはナポレオンの唱えた

「フレーヘード」（オランダ語で自由）を唱えなければならないと友人に対して強く主張したのでした。西郷は、『那波列翁伝初編』を愛読し、その蔵書本は大切に読まれたことが、今、鹿児島の歴史資料を展示する黎明館という博物館に残っている西郷の愛蔵本からもうかがうことができます。要するに、政治的にも経済的にも「海外に依存しない」というのが、この時期のサムライ・スピリットでもありました。それは、ナポレオンの生涯からサムライたちが学んだことでした。

そしてそれは時に「攘夷」という言葉で、西洋人殺傷事件に発展することもあったのです。また、もはや幕府が倒れようとする時に勘定奉行小栗忠順が、フランスなどから六〇〇万ドルを借款（借金）して横須賀製鉄所を造営することを計画しました。しかし薩摩藩は、外国資本導入を否定するため、つまり日本の独立のために、その計画を暴露し、借款計画をつぶしたのでした。しかし、小栗もフランスには大いに期待しましたが、完全にフランスに依存しようとしたのかどうかは検討の余地があると思います。小栗が新政府に裁判もないまま斬首されてしまったことは明治新政府の大きな瑕疵と言ってよいでしょう。小栗にも槍の家、武門の家としての矜持があったのだと思います。

以上、見てきたように当時のサムライ・スピリットは、その多くは攘夷でもあったと思います。西洋に植民地化されないために、西洋の文物を学んで「独立不羈」を確実なものとすることが大事であり、それこそがナポレオンにも学んだサムライ・スピリットであり、それが現代に残っているのが明治産業革命遺産なのではないかと私は考えます。それゆえにかなり複雑ではありますが、幕末から明治にかけての精神・思想の革新や革命でもあり、その結果としての産業革命なのではないかと思います。

サムライと明治の世

このようにして西洋の技術を体得した西南雄藩の力で、幕府は「江戸無血開城」に追い込まれました。そして明治天皇が京都から東京に行幸して、富国強兵・殖産興業・文明開化のスローガンのもと近代化政策がつぎつぎに断行されたのです。しかし、それは、幕府のなかの例えば徳川慶喜や小栗が目指した近代化とどれだけ違うかといえば、実はそれほど違いはなかったかもしれません。新政府で陸軍大将にまでなった西郷隆盛は、そうしたすべての矛盾を抱え込んで西南戦争で死んでいきました。西南戦争以降、サムライたちは不満があっても武力に訴えることはなく、言論で政府を攻撃するようになりました。もちろん廃刀令がだされ、武器は、天皇の軍隊と警察しか持てなくなったからです。所領や俸禄もなくなり、サムライは消滅したのです。

その後、サムライ・スピリットはむしろ一般民衆に普及するのです。国民皆兵で軍隊に入隊した農民や都市住民に対して、サムライ・スピリットが強調され、教育されたのではないでしょうか。西南戦争以後、日本は対外戦争の時代を迎えることになります。特に、莫大な賠償金を得た日清戦争後は、官営八幡製鐵所が重工業の象徴となりました。また、日本産の良質な石炭は日本の輸出産業を支えることになったのです。サムライ・スピリットは、かつての庶民層にまで普及拡大し、明治の産業を支えた重要なエトス（慣習・道徳・基調精神）になったと思われます。それはアジア・太平洋戦争後の戦後復興や東日本大震災直後にもそうした精神・思想の一端をみることができると思われます。

おわりに

明治産業革命遺産のある場所は、釜石、伊豆韮山、萩、北九州・中間、佐賀、長崎、大牟田・荒尾・宇城、鹿児島、いずれも海に面しています。共通点は、「海洋地域」です。海に面して海の向こうに思いをはせることが、常にできる地域です。海の向こうへの憧れは、サムライだけではありませんでした。広範な層、すそ野の存在が欠かせません。豪農・豪商、中小農民・商人・工人など多くの人々の支援や理解が必要なのです。現に鳥取県北栄町に残る台場や反射炉は、藩が主導して造ったものではありません。在地の農民が知恵と金と労力を出して築造したものです。それを鳥取藩はまるまるもらい受けて運営しました。まさにここにもサムライとそれを支援する庶民の関係性がうかがわれるのです。こうした遺跡も全国を探せばまだまだ見つかるかもしれません。日本の海岸線は広いのですから、幕末期に築造された台場だけでも、まだまだ未確認なものもあると思います。目指すはオールジャパンで明治日本の産業革命遺産を全国に探すことではないでしょうか。

『ペリー艦隊日本遠征記』のなかで、ペリーは、こう予言しています。

日本人は間違いなく探求心のある国民であり、道徳的、知的能力を広げる機会を歓迎するだろう。あの不運な二人（ペリー艦隊に密航を依頼した吉田松陰と最初の弟子金子重之助）の行動は同国人の特質であると思うし、国民の激しい好奇心をこれほどよくあらわしているものはない。その実行がはばまれているのは、きわめて厳格な法律と、法に背かせまいとする絶え間ない監視のせいにすぎない。この日本人の性向を見れば、この興味深い国の前途はなんと可能性を秘めていることか。そして付言すればなんと有望であることか！

確かに、ペリーは松陰らの行動に日本人の良さと将来の発展を読み取っています。しかしながら、歴史には光と影が存在します。すなわち、明治日本の産業革命遺産はバラ色だけのものではないとも思います。負の遺産の側面もあるでしょう。長崎のグラバーは武器商人で「死の商人」ともいわれます。戦争で、人の死で、お金儲けをするのが武器商人です。また炭鉱に関しては、日本人の過酷な労働問題のみならず、囚人労働や朝鮮半島等の民衆の徴用や与論島の人々の集団移住という問題が厳然と存在するのです。加えて日本においてはアイヌ民族の同化政策や「琉球処分」という歴史的事件も大いに学ばなければならないでしょう。こうした負の部分は、本書各稿でも扱っており、あらためてひとりひとりの課題として考えていただきたいと思います。

いずれにしても、日本が植民地化を免れた理由は何かを、サムライ・スピリットをキーワードに「明治日本の産業革命遺産」を訪ねながら考えてみていただきたいと思います。そうした点でもコロナ禍の終息が望まれます。

参考文献

・岩下哲典『予告されていたペリー来航と幕末情報戦争』(洋泉社、二〇〇六年)
・同『江戸の海外情報ネットワーク』(吉川弘文館、二〇〇六年)
・オフィス宮崎編訳『ペリー艦隊日本遠征記』(万来社、二〇〇九年)
・岩下哲典『病とむきあう江戸時代』(北樹出版、二〇一七年)
・同『津山藩』(現代書館、二〇一七年)
・同『普及版幕末日本の情報活動』(雄山閣、二〇一八年)
・風説書研究会『オランダ別段風説書集成』(吉川弘文館、二〇一九年)
・伊藤之雄編著『維新の政治変革と思想』(ミネルヴァ書房、二〇二二年)
・鈴木淳編著『経済の維新と殖産興業』(ミネルヴァ書房、二〇二二年)
・岩下哲典編著『「文明開化」と江戸の残像』(ミネルヴァ書房、二〇二二年)

各遺産の凡例

data

①所在地（付・QRコード）
②電話番号
③ホームページURL
④観覧（開館）日時
⑤休観日
⑥観覧料（入場料）
⑦管理団体
⑧アクセス
⑨備考

明治日本の産業革命遺産の見どころ

三番高炉跡＊
（今野日出晴撮影）

橋野鉄鉱山・高炉跡

在来技術と西洋技術の融合のなかから生まれた近代鉄産業

◉歴史

嘉永三年（一八五〇）、欧米列強の圧力にそなえ、佐賀藩は、銑鉄を溶解する反射炉を築き、日本ではじめて鉄製大砲の鋳造に成功した。その後、鹿児島、韮山、そして、水戸などにも反射炉がつくられるが、水戸藩の那珂湊（現ひたちなか市）反射炉の建設で主導的な役割を果たしたのは、盛岡藩士であった大島高任（一八二六年生）であった。大島は、江戸や長崎に留学し、当初は、西洋医学を学んでいたが、西洋流の兵法、砲術、採鉱、精錬に興味をもち、ヒュゲーニンの『ロイク王立鉄製大砲鋳砲所における鋳造法』を翻訳し、鋳造のための知識や技術を積極的に吸収していった。大坂の適塾（緒方洪庵が開いた蘭学塾）に入門する頃には、他の藩士に西洋流砲術を指南するほどであった。そうした知識と経験から徳川斉昭の水戸藩に招かれ、安政二年（一八五五）に反射炉の築造に成功し、大砲の鋳造をおこなうのである。

しかし、砂鉄を原料とした古来からの「たたら製鉄」

data

①〒026-0411岩手県釜石市橋野町第2地割15②0193-54-5250（釜石市橋野鉱山インフォメーションセンター）③https://www.city.kamaishi.iwate.jp/docs/2020030600160/④4月1日から12月8日まで、9時30分～16時30分（橋野高炉跡は公開されているが、採掘場と運搬路は遺跡保存のため非公開）⑤冬期間（12月9日から3月31日まで）⑥無料⑦釜石市⑧JR釜石駅から車で約50分。またはJR遠野駅から車で約35分⑨橋野高炉跡は公開されているが、採掘場と運搬路は遺跡保存のため非公開。

（動物の皮や木の板で作った足踏み式の鞴で風を送って炉内を高温にする）によってつくられた銑鉄（粗製の鉄）では、品質が不安定で、鋳造された大砲はもろく、砲身破裂を起こしてしまう。そこで、大島は、良質な銑鉄を那珂湊へ供給するために、良質な鉄鉱石（磁鉄鉱）を産出していた奥州甲子村大橋（釜石市甲子町）に洋式高炉を建設し、安政四年（一八五七）一二月一日には、ついに鉄鉱石を原料とする銑鉄の生産を成功させるのである（のちに「鉄の記念日」に制定され、大島は「近代製鉄の父」と称される）。翌年には、橋野村青ノ木において、仮高炉（のち改修され三番高炉）の操業が始まり、のちに一、二番高炉も建設され、他にも、佐比内（遠野市上郷町）、栗林（釜石市）、砂子渡（釜石市甲子町）など、大島やその弟子たちの指導で一三座の高炉が築かれた。

明治に入り、盛岡藩の直営から御用達とし

水路1・2高炉（今野日出晴撮影）

大島高任（今野日出晴撮影）

て経営に携わっていた、日詰町（現紫波郡紫波町日詰）の小野権右衛門（井筒屋）の出資のもとに経営された。さらに銭座（生産された鉄による鉄銭鋳造所）も開設され、従業員一〇〇〇人、牛一五〇頭、馬五〇頭、年間出銑量二五万貫（約九三〇トン）となり、これが橋野鉄鉱山の最盛期であった。しかし、明治四年（一八七一）には銭座は廃止され、以後、細々と操業が続けられたが、明治二七年（一八七一）には、最後まで残っていた三番高炉の稼働も終え、その後は長い間忘れられていた。

◉世界遺産としての価値

昭和二七年（一九五二）、釜石市などの現地調査によって、橋野鉄鉱山が「再発見」され、昭和三〇年（一九五五）・三一年（一九五六）の岩手大学の発掘調査によって「洋式高炉による鉄鉱石精錬の遺跡」であることが明らかになり、この遺構が当時の稼働状態をよく示す「工業技術発達史上極めて注目すべき」ものとして、昭和三二年（一九五七）には、国指定史跡となった。昭和五九年（一九八四）には、アメリカ金属協会から歴史遺産賞（ＨＬ賞）が贈られ、国内外から貴重な歴史遺産として高い評価を受けていた。

「橋野鉄鉱山・高炉跡」は、現存する日本最古の洋式高炉跡のほか、鉄鉱石の採掘場跡（露天採掘跡や半地下坑跡など）、鉄鉱石を牛や人力で運んだ運搬路跡の関連する三つの遺構から構成されている。高炉の周辺には、水路跡（高炉に風を送るための鞴（ふいご）を水車によって動かすためのもの）や種焼場（たねやきば）（鉄鉱石の不純物の除去などをおこなう）など、生産に関連するものだけでなく、御日払所（おひばらいじょ）（賃金を支払うほか、鉄鉱石の管理などの事務所）や長屋・鍛冶（かじ）長屋・大工長屋などが残され、経営状態などまでうかがうことができる。「橋野鉄鉱山・高炉跡」は、官営八幡製鐵所の成功に至るまでの過程において、試行錯誤を繰り返しながら発展してきた製鉄業の歴史において、起点ともいうべきもので、特に、従来の「たたら製鉄」に対して、洋式高炉を中心とする技術は、次のような変革的な意義を有していた。まず、従来ほとんど使用することのなかった豊富な鉄鉱石資源がはじめて鉄産業の資源となり、砂鉄に比べてはるかに効率的な生産を可能にしたこと。次に、送風用の動力が人力から水車に替わることによって、銑鉄の量産を可能にしたこと。そして、製鉄炉は、たたら炉に比して、堅固な構造であり、長期の使用が可能になったことなどである。こうした洋式技術の移植が、マニュファクチャ的企業経営を実現したのである。

すなわち、「橋野鉄鉱山・高炉跡」は、①高炉による製鉄法の導入を示す高炉場跡（高炉の動力源となった水車を回すための水源である河川を含む）、②鉄鉱石の運搬に利用した運搬路跡、及び③近世からの伝統的な技法を継承した鉄鉱石の採掘場跡の三つの要素が一体となって残された貴重な遺構である。すなわち西洋技術と在来技術の融合を具体的に示しており、製鉄・製鋼分野の産業革命の黎明期を代表する産業遺産として、顕著な価値を有している。

◉もっと深く知るために

釜石市では、平成一九年（二〇〇七）の「近代製鉄発祥一五〇周年記念事業」を契機に、近代製鉄の歴史・文化を継承していくための活動が始まった。平成二一年（二〇〇九）には、「近代製鉄の歴史・文化」を再認識しながら次代に継承し、「まちづくりのエネルギー」とするために、鉄のふるさと釜石創造事業実行委員会が設置された。平成二二年（二〇一〇）からは九州・山口地域とともに、世界遺産登録を目指し、平成二六年（二〇一四）には橋野鉄鉱山世界遺産シンポジウムが開催された。このシンポジウムでも、白山小学校や甲子中・釜石東中学校の児童・生徒による鉄の学習発表会がおこなわれた。これらは、総合的な学習の時間において、鉄の歴史や文化を学び、鉄の歴史館での「鉄づくり体験」や釜石鉱山での坑道遺跡見学会などを内容とする学習報告であった。また、鉄の連続生産に成功した一二月一日（「鉄の記念日」）を中心とした一週間を「鉄の週間」として、鉄の歴史館や郷土資料館、市立図書館などで、製鉄体験や橋野高炉の写真・模型展、鉄の歴史に関する展示など、さまざまな企画が組まれた。二〇一七年には、明治日本の産業革命遺産を紹介した「デジタルドキュメンテーション展」も開催された。市内の小中学校の児童・生徒による、鉄の学習発表会も「鉄の週間」でおこなわれている。平成二〇年（二〇〇八）からは、鉄と釜石の関わりを学ぶ「鉄の検定」（八〇点以上が二級、九〇点以上は一級、満点を獲ると「アイアンマスター」の称号が得られる）が実施された。

また、令和四年（二〇二二）には、「橋野鉄鉱山 デジタルガイドアプリ」が開発された。これは、音声解説だけでなく、スマートフォンをかざせば、VRやARによって、橋野高炉が3Dで体感できる。橋野鉄鉱山の複数の遺構が、相互に関連して、近代初期の採掘・運搬・製鉄システムが構築され、機能していたことを容易に理解することができる。「近代製鉄の歴史・文化」を次代に継承するための取り組みは、釜石において継続しておこなわれている。

（今野日出晴）

参考文献

・釜石市・釜石市教育委員会『橋野鉄鉱山の保存・整備・活用に関する計画』（釜石市教育委員会、二〇一八年）
・釜石市教育委員会『橋野鉄鉱山――日本近代製鉄の先駆け』（釜石市教育委員会、二〇一五年）
・産業考古学会盛岡地区研究班編『銕路歴程――近代日本・近代製鉄の始まりと大槌・釜石』（岩手県釜石地方振興局、二〇〇八年）
・森嘉兵衛『森嘉兵衛著作集 第三巻 陸奥鉄産業の研究』（法政大学出版局、一九九四年）
・小野寺英輝「鉄鉱石によるたたらの誕生と洋式高炉製鉄の開始――明治期の釜石高炉と関連遺跡群」（『季刊考古学』第一〇九号、二〇〇九年）

韮山反射炉*
(「明治日本の産業革命遺産」世界遺産協議会提供)

静岡県

韮山反射炉（にらやまはんしゃろ）

韮山代官が提言・建設した幕末の海防政策を紐解く

◉歴史

韮山反射炉築造の直接の原因は、嘉永六年（一八五三）のペリー艦隊の浦賀来航にあるが、遠因は天保八年（一八三七）のモリソン号事件と天保一一年（一八四〇）のアヘン戦争勃発にある。伊豆から関東・甲斐一円の支配地を支配していた韮山代官の江川太郎左衛門英龍（ひでたつ）（坦庵、一八〇一～一八五五）は、管轄区域に伊豆・相模沿岸の太平洋から江戸湾への入り口に当たる海防上重要な地域が含まれていた。このことから、これら事件に大きな関心と危機感を抱き、早くから海防について幕府に建議していたのであった。

英龍は若い頃から蘭学を学び、尚歯会の渡辺崋山や高野長英たちとの交流の中から海外の社会事情や国際情勢を知り、長崎の砲術家である高島秋帆（しゅうはん）（一七九八～一八六六）に入門したのである。秋帆はオランダから兵学書・砲術書といった書籍やモルチール砲（臼砲（きゅうほう））や燧石式（すいせきしき）ゲベール銃を輸入し、西洋砲術の研究を進めていた。そしてアヘン戦争で清国が敗れる前に意見書を幕府に提出した。これを受けて天保一二年（一八四一）に武蔵の徳丸ヶ原（現高島平）で、日本初となる洋式砲術と洋式銃陣の公開演習が行われたので

data
①〒410-2113静岡県伊豆の国市中字鳴滝入268②055-949-3450(ガイダンスセンター)③https://www.city.izunokuni.shizuoka.jp/bunka_bunkazai/manabi/bunkazai/hansyaro/index.html④9時～17時(4月～9月)、9時～16時30分(10月～3月)⑤毎月第3水曜日(祝日の場合は、その翌日)⑥一般500円、生徒・児童50円⑦伊豆の国市⑧車で沼津インターまたは長泉沼津インターから江間インターチェンジまで(約30分)、伊豆箱根鉄道伊豆長岡駅から徒歩約20分(バス有)。

ある。

英龍は高島流砲術を皆伝され、他者への同砲術伝授が許可されたことで、伊豆韮山にある自らの屋敷（江川邸）を家塾として開放した。すなわち韮山塾が開講される。門下生第一号が佐久間象山であり、他に川路聖謨など幕府直参や諸藩士が入塾した。英龍死後には江戸の芝新銭座の屋敷（縄武館）に移され、ここには幕臣や長州・薩摩をはじめとする諸藩の藩士たちが続々と押し寄せ、木戸孝允、井上馨、黒田清隆、大山巌等、幕末維新期に活躍した人物たちが学んでいった。そうした中で、ペリー艦隊が浦賀に現れたのである。

江川太郎左衛門英龍
（江川文庫蔵）

嘉永六年（一八五三）、ペリー艦隊が浦賀に現れる。ペリー来航に衝撃を受けた幕府において、老中阿部正弘が江川英龍を勘定吟味役に任命するとともに、江戸湾沿岸防備のために品川台場の砲台築造の任務を命じることになった。砲台には据えるべき大砲を鋳造しなくてはならないため、併せて反射炉の築造が企画されたのであった。

翌年安政元年（一八五四）一月の日米和親条約で開港が決まった伊豆下田港に近い本郷村（現下田市）で、反射炉の基礎工事に着手していたところ、同年三月、同村にペリー艦隊の水夫が侵入する事件が起きたため、急遽韮山の地に建設地を移動することになった。

韮山で工事が始まるも、同年一一月に安政東海地震が発生し、その対応に追われた英龍は激務のために、翌安政二年一月に急逝する。こうした事態もあり反射炉築造は遅々として進まず、この年の八月に英龍の嗣子英敏が佐賀藩の協力を幕府に要請することになった。安政四年（一八五七）二月に佐賀藩士であり技師の田代孫三郎、杉谷雍助らが入し、同年一一月、連双二基四炉からなる反射炉が竣工されたのである。

◉世界遺産としての価値

江川英龍死後二年たって反射炉が築造され、溶鉱炉では鉄が溶かされ稼動し、大砲が鋳造された。砲兵工廠の鼻祖と評される所以である。この時には千数百度という高温に耐えられる煉瓦が用意されており、これは梨本村（現河津町）にある登り釜で生産されたものが使用された。やがて一八ポンドカノン砲の鋳造がなされ、試射にも成功したのである。これらは品川の台場へ船で運ばれたものの、実際に使用されることはなかった。

韮山反射炉は炉体と煙突が完全な形で現存している世界唯一の反射炉産業遺産であり、近代鉄鋼業発祥のシンボルとして捉えられている。このことをもって産業革命遺産というわけであるが、やはり蘭書を頼りに日本人の自力で築きあげた建造物であるということを銘記すべきであろう。

江川英龍が反射炉築造に着手する前から、長崎に近い佐賀藩では蘭書を入手して試行錯誤しながらも築造を目指していた。藩主鍋島直正と知己であった英龍は築造に向けて用意周到に情報交換をしていたのである。

平成二七年七月のユネスコ世界文化遺産会議で、「明治日本の産業革命遺産 製鉄・製鋼、造船、石炭産業」として登録され、韮山反射炉は製鉄・製鋼の分野として登録基準を充分に満たしている。それは実際に稼働した反射炉としては世界で唯一現存しているものであり、日本における産業の近代化、特に製鉄技術に関する初期の様相を現在にしっかりと伝えているからである。

反射炉だけでなく、関係する古文書類が保管されている代官屋敷の江川邸も併せて世界遺産にしてもよかったように思う。江川邸内にある江川文庫に保管されている膨大な資料は国指定重要文化財であり、さらなる資料公開により研究が深化し、反射炉の価値がさらに高まることが考えられるからである。

◉もっと深く知るために

韮山反射炉は明治政府に政権が変わろうとする時に、幕府直営から江川家私営のもとに管理が移された。江川家も江川英敏弟の英武が韮山県知事に就任し、新政府に代わっても伊豆地域の支配を任せられた。

その後、明治六年（一八七三）に陸軍省に移管されるも二基の反射炉は放置され、もはや反射炉は使用されなくなり荒れ放題になっていった。しかし明治三八年（一九〇五）の日露戦争勝利後、反射炉が「日本における砲兵工廠の鼻祖」として保存気運が高まっていたことから、英武の女婿である法学者山田三良は、この期に乗じて保存運動に乗り出した。すると時の陸軍大臣寺内正毅が着目し、明治四一年（一九〇八）、陸軍省後援のもと補修工事が行われるに至った。そして大正一一年（一九二二）三月、韮山反射炉は国指定史跡に指定され、このことを記念して反射炉横に反射炉碑が建てられた。高さ三メートル以上もあるこの碑の碑文は明治四四年（一九一一）に既に練られていたもので、陸軍大将の有栖川宮載仁親王が篆額（篆字で書いた題字）している。碑文には反射炉築造の歴史と江川代官の歴史が刻まれており、この国指定により所管は陸軍省から内務省に移管された。

戦前の国定教科書において、江川英龍と韮山反射炉は自明のごとく登場していた。しかし、反射炉が陸軍省、そして内務省の保護・管理下に置かれたことで軍国主義鼓舞の教材の一つとして捉えられてしまったがために、戦後の教科書から消え、日本史研究や日本史教育の中では大きく知名度を下げてしまったのである。近年改めて江川英龍の事績や反射炉建設の意義が評価されるようになってきたものの、歴史は見方によってこのように評価が変わってしまうものであることを認識すべきであろう。

英龍が韮山反射炉や品川台場を建設した真の目的は、欧米列強に屈して植民地化されないために、武器を国産化することで列強に産業力・文化力をも示し、戦争抑止の意味で建てられたものであろうと思われる。したがって実際のところ英龍は平和主義者であったとみるべきである。

現在伊豆の国市の地元小学校では、六年生が総合学習（探究）で市内の史跡巡りを行い、その中に韮山反射炉をコースに盛り込み、終了後は新聞づくりを実施している。一部の児童についてはその際にガイド体験を行っている。韮山小学校では修学旅行先の東京コースに江川英龍が建築した品川台場を含め、反射炉との関係について学ばせている。中学校では一年生の夏休み明けに韮山反射炉検定を受検させ、知識の確認を行っている。

高校は市内二校あるが、韮山高校では入学当初の遠足のコースに韮山反射炉や江川邸を参観させ、二年次のそれ以外でも反射炉英語ボランティアガイドに参加したり、関係イベントに生徒会や有志が参加し、様々な形で関わっている。

（桜井祥行）

反射炉碑（桜井祥行撮影）

参考文献

・仲田正之『江川坦庵』（吉川弘文館、一九八五年）
・仲田正之『韮山代官江川氏の研究』（吉川弘文館、一九九八年）
・橋本敬之『幕末の知られざる巨人 江川英龍』（角川SSC新書、二〇一四年）

萩城下町　木戸孝允旧宅*
（道迫真吾撮影）

山口県

萩城下町

幕藩領主が工業化に向けて試行錯誤を重ねた社会的背景

◉歴史

萩は、全国有数の大藩、長州藩の城下町で、毛利輝元が開いた計画都市である。長州藩の石高（表高）は三六万九〇〇〇余石で、萩藩とも称される。

毛利輝元は慶長九年（一六〇四）、萩三角州北西部に聳える指月山の麓に築城を開始した。慶長一三年に完成した萩城は、五層の天守を擁する本丸、さらに二ノ丸・三ノ丸からなり、また、指月山頂には要害（詰丸）を設けていた。萩城には約二六〇年間、長州藩の政庁が置かれていた。

輝元は、築城と同時に、城下町の建設にも取りかかった。城下町の町割りに際しては、萩城三ノ丸を含む北部、西南部、東南部の三地区に分けて、それぞれ異なる基準線を設定し、この基準線に平行して道路が敷かれ、碁盤目状に町割りがなされていった。城下町という性格上、防御上の配慮もなされていた。たとえば、鍵曲と呼ばれる道路は、ジグザグに曲げて左右の壁を高くすることで、見通しがきかないように工夫されたものといわれている。

data

①山口県萩市堀内、萩市呉服町、萩市南古萩町②0838-25-3139（萩市観光課）③https://www.hagishi.com/course/jyokamachi④見学自由⑥無料⑦萩市⑧JR東萩駅から徒歩で20分。または小郡萩道路絵堂ICから車で30分（中国自動車道美祢東JCTと直結する小郡萩道路利用で萩市街地へ）。

慶長一〇年（一六〇五）以降、家臣の屋敷地がそれぞれの身分に応じて配分され、上級武士は萩城三ノ丸内に居住し、中級・下級武士はおもに城下町に居住した。つまり、武士は、身分が高ければ高いほど城の主要部分の近くに住むことができたのである。

城下町には町人も居住し、それぞれ多様な商業活動を展開した。なかでも伝統的な技術を担う職人は、城下町の内部あるいは周囲に居住し、それぞれの生業を営んでいた。それら諸職人層は細工人と総称され、鋳物師、焼物師、鉄砲細工、刀鍛冶、大舟大工などが存在した。これら細工人が有した伝統的な技術は、やがて西欧の近代的技術を導入する上で大いに役立てられたのである。

萩はまた、長州藩の教育の拠点で

口羽家住宅（萩市文化財保護課提供）

もあった。藩校明倫館は、享保四年（一七一九）という全国的にも早い段階での創設で、当初は萩城三ノ丸内に置かれていた。しかし、江戸時代後期の嘉永二年（一八四九）、国内外の情勢変化に対応するため、明倫館は城下町の中央部に移転・拡充された。文武両道に秀でた有能な藩士を育成するための教育機関として、全国屈指の規模を誇っていた。たとえば、幕末にあった全国の藩校を敷地面積で比較した場合、水戸藩校弘道館（約三万二〇〇〇坪）、福山藩校誠之館（二万三七〇四坪）、金沢藩校明倫堂及び経武館（一万八二五六坪）に次いで、長州藩校明倫館（一万五一八四坪）は四番目の大きさであった。

萩は、文久三年（一八六三）に藩の政庁が山口に移されるまでの約二六〇年間、城下町として繁栄した。明治四年（一八七一）に廃藩置県が実行されると、山口県の県庁は山口に置かれることになる。以来、萩は天災・人災による被害が少なく、町の中心でなく三角州の外側に鉄道を敷設したことのほか、大規模な都市開発からも免れたことにより、旧城下町の姿が現代に良好に伝わっている。

なお、城下町のシンボルであった萩城は、明治政府が中央集権的な統一国家を建設する過程で、政治的にも軍事的にもその必要性が低下した。そのような状況で政府は明治六年（一八七三）、一部を除く全国の城郭の廃城および払い下げを指示し、萩城は明治七年（一八七四）に解体された。石垣を残すだけとなった現在の萩城跡は、封建社会から近代社会への移り変わりを視覚的に表す象徴的存在となっている。

史跡保存の面では、昭和二六年（一九五一）に「萩城跡」は国の史跡に指定され、昭和四二年（一九六七）に「萩城城下町」が国の史跡に指定されている。

その後、萩市は、旧城下町の姿を将来にわたって確実に残していくため、昭和四七年（一九七二）、全国に先駆けて歴史的景観保存条例を制定した。さらに、萩市は昭和五一年（一九七六）、伝統的建造物群保存地区保存条例を制定し、同年、「萩市堀内伝建地区」と「萩市平安古（ひやこ）伝建地区」は国の重要伝統的建造物群保存地区に選定された。さらに、平成一六年（二〇〇四）に景観法が制定されるに伴い、萩市は景観行政団体となり、平成一九年（二〇〇七）からは同法に基づく萩市景観計画を施行し、歴史的都市にふさわしい景観コントロールを行っている。このように現在萩市

萩城五層楼写真（山口県文書館蔵）

萩城跡（萩市文化財保護課提供）

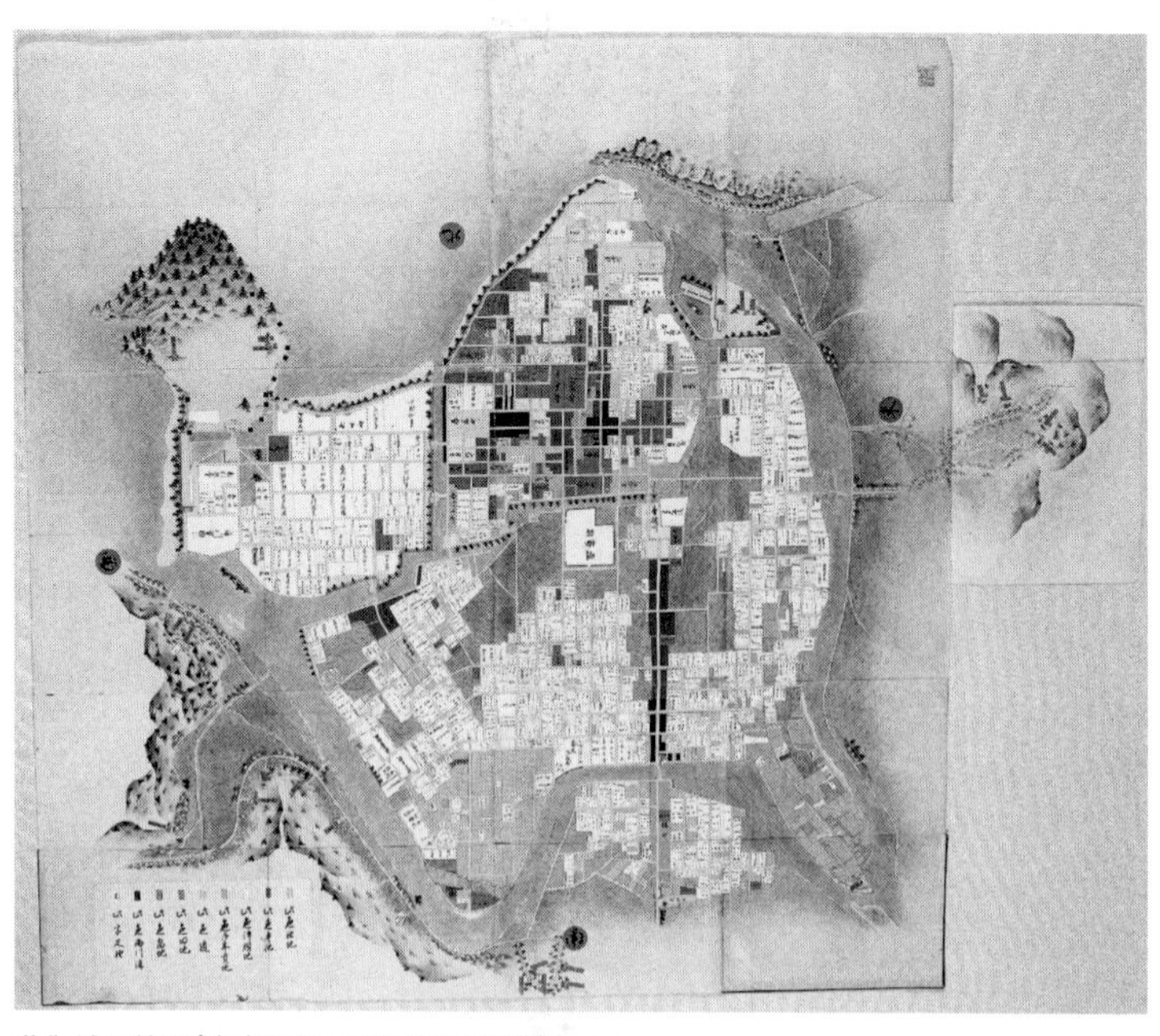

萩御城下絵図（慶応元年、山口県文書館蔵）

は、建築物や工作物、屋外広告物についての高さ、形態、意匠（デザイン）、色彩などの基準を定め、歴史的景観の保全に努めている。

◉世界遺産としての価値

萩城下町は、長州藩の政治・軍事・経済・文化の拠点で、日本が近代工業国家へと転じる以前の厳然とした封建社会の様相を色濃く現在に留めている。これは、一九世紀半ばに武士が西洋の科学・技術と遭遇したことにより、工業化に取り組んだ文化的素地を示す稀有な事例である。このため、萩城下町は、日本の工業化の過程で、幕藩領主が先駆的に試行錯誤を重ねた幕末当時の社会的背景を物語る資産と位置づけられている。

一九世紀半ば、イギリス、フランス、アメリカなど欧米列強が東アジアへの進出を本格化した。これを脅威に感じた日本の支配者層である幕藩領主は、海岸防備すなわち海防の強化を模索し始める。とりわけ、天保一三年（一八四二）にアヘン戦争で清（中国）がイギリスに敗れると、幕藩領主はもはや対岸の火事では済まされないとの危機感を募らせた。

なかでも長州藩は、三方が海に開かれ、かつアジア大陸に近いという地理的要因が重なることから、海防の強化に必要な軍備として、大砲や軍艦の洋式化に積極的に取り組んだ。具体的には、城下町周辺に反射炉や造船所を設置し、数世紀にわたって培われた在来の知識・技術を総動員して、自力で軍備の近代化に挑戦した。しかし、長州藩のそうした努力は、小規模で実験的な域を超えることができなかったのである。

その後、日本が近代化・工業化していく過程で、萩はその変化の影響をほとんど受けることがなかったため、旧城下町は封建社会の姿をほとんど変えることなく今日に至っている。近代化への試行錯誤の舞台となった萩城下町は、近代化以前の日本、すなわち封建社会の様相を濃厚に残しているのである。

実際、幕末の日本では、長州藩以外にも佐賀藩や薩摩藩など有力な諸藩が工業化に取り組んだ。この両藩の工業化への努力が長州藩のそれを凌駕するものであったことは、よく知られた事実である。これら雄藩（ゆうはん）がいわゆる「鎖国」という条件のもと、自力で近代化を進めることは、試行錯誤の連続であり、その過程で日本の工業化の基礎が準備されたことは特筆に値する。ところが、現在、佐賀市や鹿児島市では、都市開発その他の影響で旧城下町の様子がほとんど残存していない。西南雄藩に数えられる佐賀・薩摩・長州の三藩が自力で工業化に取り組んだと一口にいっても、幕末の地域社会の姿を現代に伝えているのは、萩市だけといっても過言ではないのである。

つまるところ、萩城下町は、工業化の試行錯誤を重ねた城下町の典型として、「明治日本の産業革命遺産」に加えられているのである。

なお、旧城下町としての姿をとくに色濃く残しているのは、城跡（国指定史跡「萩城跡」）、旧上級武家地（国選定重要伝統的建造物群保存地区「萩市堀内伝建地区」）、旧町人地（国指定史跡「萩城城下町」）である。したがって、この三つのエリアを一まとめにして構成資産「萩城下町」としている。

◉もっと深く知るために

萩市は、先に確認したように、昭和四七年（一九七二）に歴史的景観保存条例を制定するなど、全国的にみても相当早い段階から町並み保存対策に力を入れてきた。このため、旧城下町は非常に良好な形で現在にまで継承されてきたのであるが、近年では、その目的が観光振興の面に偏り気味となっている。今後は、町並みを将来世代に受け継いでいくための学校教育と生涯学習に力を入れ、市民の意識啓発を図らねばならないと考える。

萩市は、平成一五年（二〇〇三）に「萩まちじゅう博物館構想」を策定して以来、一〇年以上をかけて、市民を主役とした町づくりの体制を整えてきた。その成果が徐々に表れ、大人から子供まで、市民が自分の生活する町の魅力に気付きつつある。たとえば、萩博物館を活動拠点とするＮＰＯ萩まちじゅう博物館のボランティアスタッフの充実、萩ものしり博士検定の実施などがあげられる。行政の側が引き続き、そのような自立した市民たちの町づくりへの参加を支援してゆけば、萩はさらに、世界でも屈指の魅力をもった町として磨きがかけられていくにちがいない。

実際、世界遺産に登録される以前から、萩市には多くの外国人観光客が訪れていた。現在は新型コロナウィルスの世界的大流行のため停滞しているが、それが落ちつけば再び増加するものと思われる。

そうしたなかで、平成二九年（二〇一七）三月、旧萩市立明倫小学校の建物を改修した新しい観光施設、萩・明倫学舎が開館した。その一画に、世界遺産ビジターセンターが設置されている。「明治日本の産業革命遺産」の全二三資産のなかで、萩の五つの資産がどのような意味や価値を持っているのかを、日・英両国語で分かりやすく説明している。日本を代表する旧城下町という側面に加えて、工業化初期の試行錯誤の舞台であったことも紹介しているので、必ずや、萩城下町が日本の産業革命の原風景であることを理解されるものと確信する。

世界遺産構成資産「萩城下町」のエリア内に立地する萩博物館は、令和二年（二〇二〇）三月、開館一五周年を記念して常設展示をリニューアルした。新型コロナウイルスの感染拡大防止のため、大々的なPRができなかったのは残念だが、新常設展示では「萩城下町絵図」をはじめとする様々な実物資料・パネル等を用い、「萩城下町」の魅力をわかりやすく紹介している。町歩きの前に萩博物館で情報を得ることはもちろん、NPO萩まちじゅう博物館の会員による町歩きガイドも充実しているので、ぜひご活用いただきたい。

（道迫真吾）

参考文献

・萩市史編纂委員会編『萩市史』全三巻（萩市、一九八三―一九八九年）
・萩市教育委員会編『萩堀内平安古――萩市【堀内・平安古地区】伝統的建造物群保存対策調査報告』（萩市教育委員会、一九八六年）
・萩市教育委員会編『萩城跡外堀調査報告書――萩城跡外堀文献調査報告・萩城跡外堀発掘調査報告』（萩市教育委員会、一九八八年）
・萩市教育委員会編『平成元・二年史跡萩城跡・萩城城下町保存管理計画策定事業報告書』（萩市教育委員会、一九九一年）
・萩博物館編『明治日本の産業革命遺産と萩』（萩博物館、二〇一五年）
・道迫真吾『萩の世界遺産――日本の工業化初期の原風景』（萩ものがたり、二〇一七年）

萩反射炉＊
（道迫真吾撮影）

山口県

萩反射炉（はぎはんしゃろ）

鉄製大砲を鋳造するため試作するも実用化には不成功

◉歴史

長州藩は、安政二年（一八五五）に反射炉の導入を開始した。この年八月、長州藩は藩士岡義右衛門・藤井百合吉らを佐賀藩に派遣する。また、その後を追わせる形で、佐賀藩主鍋島直正に旋風台雛形（大砲を据える台の模型）を贈呈するための使者として、大工棟梁小沢忠右衛門を佐賀に派遣した。

岡らは、佐賀藩に対して、反射炉による鉄製大砲鋳造ほかの伝授を申し入れるが、それらはいまだ研究途上にあることなどを理由に謝絶された。ところが、小沢が旋風台雛形を持参したことが奏功して、岡らは佐賀藩の反射炉の責任者本島藤太夫に面会を果たし、反射炉の見学も許される。小沢はその際、反射炉の見取り図を作成して、萩に持ち帰った。

同年九月、長州藩は薩摩藩に対しても、軍艦建造や反射炉の伝習を依頼する。これに対して薩摩藩は、軍艦建造の伝習については許諾するが、反射炉の伝習についてはいまだ試行中であるとの理由で謝絶すると返答した。長州藩はこれを受けて、一〇月、岡義右衛門らの薩摩藩への派遣を決定した。

同年一一月、長州藩は藩士村岡伊右衛門らを反射炉築造の担当に任じ

data

①〒758-0011 山口県萩市椿東4897-7②0838-25-3380（萩市世界文化遺産室）③https://www.city.hagi.lg.jp/site/sekaiisan/h6077.html④無休・見学自由⑥無料⑦萩市⑧萩循環まぁーるバス（東回り）「萩しーまーと」バス停より徒歩約5分。

る。そして同月、萩藩政府の藩士前田孫右衛門は、反射炉などに関する進捗状況を江戸藩邸の小川七兵衛らへ報告した。それによると、萩では反射炉などについて論議があり、水車を試作していたことがわかる。さらに、小沢忠右衛門が佐賀へ出張した際、反射炉を実見して描いた図面により詳細が判明したため、付属の器具類をつくり、年明け早々に築造にとりかかる下準備を進めていたこともわかる。以上の報告を受けて、江戸藩邸の小川らは、同年一二月、前田あてに承認の返事を送った。

安政三年（一八五六）四月、長州藩は藩士岡辰之允を反射炉築造ならびに錐通し水車仕掛け築造の担当に任じ、さらなる人員体制の強化を図った。

このようにして長州藩は、反射炉の「雛形」を築き、大砲などの鋳造を試みた。それは、反射炉で鋳造する銑器は精鉄になって破裂の恐れも少なく、鞴炉（踏鞴と甑炉による伝統的な鋳造法）で青銅砲を鋳造するのに比べて経費もかからず、便利であるということが明らかになったからであった。ところが、同年一一月一九日、本式の反射炉の築造を中止する。その理由には、平錐台（砲身に砲腔をあけるための加工機器）ほかの設備にどれほどの経費がかかるか見当がつかないこと、安政二年（一八五五）一〇月の江戸大地震の影響で資金の調達が難しいこと、日本最初の反射炉を築いた佐賀藩でさえも研究途上であることなどが挙げられていた。そのうえで長州藩は、充分に習熟した段階で本式の反射炉を築造することに決したのである。

このように、長州藩は反射炉の「雛形」を築いたのであるが、これは、反射炉を試作したことを意味する。つまり、現存する萩反射炉は、安政三年に試作され、一時的に操業が試みられた反射炉であったと結論付けられるのである。

その後の長州藩内における反射炉関連の動向を確認すると、安政五年（一八五八）三月、藤井百合吉は藩に意見書を提出し、反射炉、洋式造船、蒸気機関などについて長崎で研究させてほしいと願い出た。藤井は、反射炉を用いれば、鉄製大砲だけでなく青銅製大砲の場合でも自然の風力で熔解できるため、人力が省けて大変便利であると指摘している。七月、長州藩は藤井の意見を容認し、彼を長崎に派遣した。

安政六年（一八五九）七月、長州藩内の西洋学所から明倫館へ、大砲・軍艦を中心とする軍事科学関連書物の引き渡しが完了した。そのリスト中に、幕末の日本における反射炉築造のテキストの一つ、『鉄熕鋳鑑』が挙げられている。

文久三年（一八六三）一一月、長州藩は藩士村田蔵六（大村益次郎）に対し、銅・鉄類の諸山（鉱山）採掘の検討、反射炉などについての調査を命じる。元治元年（一八六四）五月には、長州藩は藩士北条源蔵を反射炉による鉄製大砲鋳造の担当に任じた。さらに、長州藩は藩士村田蔵六・郡司千左衛門に対し、鉄製大砲鋳造の取調をも命じた。

しかしこれ以後、長州藩における反射炉関連の動きは途絶える。以上のように、長州藩においては、鉄製大砲を製造しうる実用的な反射炉の築造は不成功に終わったのである。

その後、萩反射炉の煙突上部に欠損が生じる。その原因は、明治三一年（一八九八）四月三日に起きた見島沖（現萩市見島）を震源とする地震であるとみられる（明治三一年四月五日付『大阪毎日新聞』）。

史跡保存の面では、大正一三年（一九二四）、「萩反射炉」は国の史跡に指定され、昭和五五年（一九八〇）、指定地域の追加指定が行われた。その間、萩市教育委員会は、萩反射炉の劣化が激しくなったことから、昭和四九年（一九七四）から昭和六一年（一九八六）にかけて保存整備事業を実施し、昭和五三年（一九七八）、および昭和五八年（一九八三）から昭和六〇年（一九八五）にかけて発掘調査を行っている。

近年では、平成一九年（二〇〇七）に経済産業省が公表した「地域活性化のための『近代化産業遺産群三三』」において、萩反射炉は、後述する恵美須ヶ鼻造船所跡とともに、「一『近代技術導入事始め』海防を目的とした近代黎明期の技術導入の歩みを物語る近代化産業遺産群」の構成遺産に選ばれた。これは、全国各地にわが国の産業近代化の過程を物語る多くの建築物、機械、文書が残されていることから、それらの歴史的価値を顕在化させ、地域の活性化に役立てることを目的に、地域史・産業史の観点から三三のストーリーとして取りまとめたものである。

◉世界遺産としての価値

江戸時代、鉄の生産は、「たたら製鉄」と称される砂鉄製錬法により行われていた。しかし、こうした在来の製鉄技術は、一九世紀半ばに大きな転機を迎える。海防の危機意識から軍備の近代化の必要性を認識した幕府や諸藩、民間により、反射炉や高炉が日本各地で築造され始めたからである。

しかしながら、幕末における国内各地での反射炉導入の試みは、わずかな蘭書の知識と在来の技術だけを頼りにしたものであったため、ほとんどが試行錯誤の段階で終わったといえる。とはいえその一方で、幕末の段階で製鉄の近代化に挑戦したことが、鉄を基幹とする日本の重工業発展の基盤形成を促進したこともたしかである。実際、わが国では明治維新を経て、わずか五〇年という短期間で、高炉による銑鉄生産、転炉および平炉による鋼生産、工業用鋼材製造の一貫生産システムという製鉄技術の近代化を達成したのである。

長州藩が反射炉の実用化に失敗したという事実は、日本の工業化が試行錯誤しながら発展していったことを示す証左である。長州藩は経済的、技術的な面から本式の反射炉の築造を中止したのであるが、江川太郎左衛門（英龍（ひでたつ））も、韮山で本式の反射炉を建設する前に、反射炉を試作したとされている（韮山反射炉は英龍の没後、長男英敏の代に完成）。つまり、近代技術である反射炉を実用化するには、相応の試行錯誤を伴ったのである。

このように、萩反射炉は、試作段階で終わったものであり、幕末の日本で導入された反射炉が必ずしも成功に結びつかなかったことを物語る現存唯一の事例である。

◉もっと深く知るために

萩反射炉は、大正時代にはすでに国の史跡（厳密には史蹟）に指定されていたが、一般的な認知度は低かった。それにもまして、恵美須ヶ鼻造船所跡と大板山たたら製鉄遺跡は、世界遺産に登録されるまで、まったく無名の文化財であった。吉田松陰や高杉晋作などの歴史上の人物に関連する史跡に比べると、産業遺産は地味で目立たないことがその要因であろう。しかし、世界遺産登録が実現した今、ようやくにして市民はもとより観光客にも認識されるようになってきている。

今後は、世界遺産に登録された萩反射炉・恵美須ヶ鼻造船所跡・大板山たたら製鉄遺跡を単なる観光の目玉として扱うのではなく、幕末の長州藩が挑戦した自力での近代化・工業化がいかに困難であったか、あるいは、いかに試行錯誤したかを伝えるための物的証拠として、学校教育や生涯教育を通して広く世に知らしめる必要がある。具体的には、児童・生徒対象の講座や調べ学習、市民対象の講座や現地見学会の機会を増やすことはもとより、前述した萩・明倫学舎に設置された世界遺産ビジターセンターの積極的な利活用が求められよう。

（道迫真吾）

参考文献

・萩市教育委員会編『史跡萩反射炉保存整備事業報告書』（萩市教育委員会、一九八七年）
・道迫真吾「萩反射炉関連史料の調査報告（第一報）」（『萩博物館調査研究報告』第五号、二〇一〇年）
・道迫真吾「萩反射炉関連史料の調査研究報告（第二報）」（『萩博物館調査研究報告』第七号、二〇一二年）
・道迫真吾「萩反射炉再考」（『日本歴史』第七九三号、二〇一四年）

恵美須ヶ鼻造船所跡　防波堤部分＊
（道迫真吾撮影）

山口県

恵美須ヶ鼻造船所跡

在来技術に洋式技術を融合させて二隻の帆走軍艦を建造

◉歴史

長州藩は、安政元年（一八五四）二月に幕府から大船の建造を要請された。しかし長州藩は、相次ぐ風水害に加え、相州警衛（相模国側の江戸湾防備）などにより出費が増加して極度の財政難に陥っていたため、当初は消極的な対応しかできなかった。

こうした状況の長州藩を動かしたのは、藩士木戸孝允（桂小五郎）である。木戸は、浦賀奉行所与力の中島三郎助のもとで洋式造船技術を学んだ。中島は、安政元年（一八五四）五月に国産初の洋式帆走軍艦鳳凰丸を完成させていた。

安政二年（一八五五）六月、大船製造御用の藩命を受けた萩の御手大工藤井勝之進らが浦賀へ派遣された。木戸は藤井らを中島に紹介し、ともに軍艦建造の技術を学んだ。

中島は木戸に対し、幕府が伊豆半島の戸田村（現静岡県沼津市）で、ヘダ号の設計図をもとに同型の船を建造していることから、現地へ行くように勧めるとともに、これを機に長州藩でも同型の船を造

data

①〒758-0011山口県萩市椿東5159-14②0838-25-3380（萩市世界文化遺産室）③https://www.city.hagi.lg.jp/site/sekaiisan/h6078.html④無休・見学自由⑥無料⑦萩市⑧萩反射炉から海側へ約0.6km。

ることが得策であると教示した。ヘダ号は、ロシア使節プチャーチンの乗船ディアナ号が沈没したため、急遽、代船として建造されたスクーナーで、船名は戸田という地名に由来する。スクーナーは、洋式帆船のうち、二本以上立てたマストに帆を縦に張る形式のものを指し、日本では戸田村があった君沢郡から君沢型と称された。

まもなく木戸は藩に対し、戸田の船大工を招いて軍艦を建造すべきであると意見する。同年一一月、長州藩は木戸に対し、戸田の造船所を視察するよう命じた。

安政三年（一八五六）一月、藩命により船大工棟梁の尾崎小右衛門が江戸へ向けて出発する。尾崎は、二月に江戸に到着するや情報を収集し、幕府若年寄本多忠徳（ただのり）（陸奥泉藩主）の家臣で船大工棟梁の高崎伝蔵がスクーナー建造の功労者であることをつきとめる。尾崎は高崎と接触を果たし、品川沖に停泊中のスクーナーを密かに見学する機会を得て江戸の藩邸に報告した。

これを聞いた当役（家老）の浦靫負も、スクーナーを視察した。藩主毛利敬親は、浦からスクーナーの堅牢な構造を聞き、同型の船の建造を決定した。さらに敬親は、本多忠徳に高崎の借用を依頼して許可を得るとともに、尾崎にスクーナー製造の担当を命じた。

尾崎小右衛門は、安政三年（一八五六）三月に江戸を出立するまでの間に高崎伝蔵と相談し、建造する船をスクーナーとバッテーラ（艀とも呼ばれる小船、ポルトガル語のボートを語源とする）の二種類とした。

同年四月、尾崎は高崎伝蔵ほか数名の船大工を伴い、萩に帰着する。尾崎らは近海を視察し、小畑浦の恵美須ヶ鼻を造船所の設置場所に選んだ。長州藩は大検使役の桂与一右衛門に西洋船製造の担当を命じ、造船所内の会所に日勤させ、製造方として造船事務の一切を担わせた。

木戸孝允
（山口県立山口博物館蔵）

同年五月、バッテーラの建造が開始され、六月末に完成した。全長約八メートルの帆船であった。

同年六月、長州藩は幕府に提出するスクーナー建造の原案を作成して、藩内での協議を経て九月に幕府に提出し、一〇月、幕府から正式に許可された。スクーナーの建造は一〇月上旬に開始されたとみられる。さらに、スクーナーの建造で残った木材を利用してコットル（カッターボート、短艇・端艇とも呼ばれる小舟）も製造することとなった。一二月、スクーナーとコットルが完成し、進水式が挙行された。スクーナーは全長約二四・五メートル、排水量四七トン、コットルは全長約六メートルであった。

安政四年（一八五七）二月、スクーナーに帆檣が建てられ、内装・外装ともすべての装備が整い、同月、藩主観覧のもと造船所近海で試運転が行われた。スクーナーを起工・完成させた安政三年の干支にちなんで丙辰丸と命名された。以後、丙辰丸は、藩の主力艦として海軍の練習と国産交易の任務を果たす。

なお、造船所は同年八月に閉鎖され、九月には産物方の管理下に入った。

その後、長州藩は、軍制改革を進めるなかで、海軍においては洋式軍艦の整備を至急の課題とした。安政五年（一八五八）七月、藩士山田亦介（またすけ）の隠居を解いて軍制改革の総責任者として登用するとともに、軍艦製造御用をも任せて、二隻目の洋式軍艦の建造に取りかかる。山田は吉田松陰に長沼流兵学を教えた兵学者で、嘉永五年（一八五二）に古賀侗庵の『海防憶測』を摺って配り過激な海防論を唱えたため、長州藩により隠居に処されていた。

丙辰丸之図（山口県文書館蔵）

新艦の設計は、浦賀奉行所与力の中島三郎助に学んだ後、長崎海軍伝習所でコットル建造を学んだ藤井勝之進が担当した。同年一〇月、長州藩は尾崎小右衛門を再び軍艦製造の担当に任命した。

山田亦介はその間の同年八月、閉鎖されていた恵美須ヶ鼻造船所の引き渡しを受け、安政六年（一八五九）一月以降、木材の確保に取り掛かった。

同年六月、長州藩は幕府に大艦製造を願い出て、七月に許可を得た。新艦は六月から建造が開始されたとみられ、七月に船台への竜骨の固定が終わり、八月には肋骨の間を詰め、外板を張る作業を行った。この時期、常時一六〇―一七〇名程度の諸職人が働いていた。

同年一二月、長州藩は藤井百合吉を検使役に任じ、船大工らの人員も増員した。

万延元年（一八六〇）三月、新艦の内部工事が終了する。五月に進水式が挙行され、この年の干支にちなんで庚申丸と命名された。八月、建檣式および船霊納めの儀式が行われ、起工から約一年あまりで完成した。庚申丸は全長約四三・六メートル、備砲は八門、船種はバークで、おもに練習艦として使用された。総工費は丙辰丸の約五倍を要したといわれている。バークは、洋式帆船のうち、三本以上のマストを備え、最後尾のマストに縦帆を張り、それ以外のマストには横帆を張る形式のものを指す。

長州藩での洋式船建造は以上の二隻の帆船で途絶え、以後はおもにイギリスから蒸気船を輸入することになった。

史跡保存の面では、恵美須ヶ鼻造船所跡は、近年までとくに何らの措置も施されなかったが、平成二一年（二〇〇九）から平成二四年（二〇一二）にかけて萩市により断続的に発掘調査が行われた。平成二五年（二〇一三）、「恵美須ヶ鼻造船所跡」は国の史跡に指定された。令和四年現在も、発掘調査及び保存整備事業は継続中である。

◉世界遺産としての価値

江戸時代、大船の建造は厳しく制限されていた。それは、徳川幕府が寛永一二年（一六三五）、諸藩の水軍力を弱体化させるため、五〇〇石積み以上の大船の建造を禁止したからである。

ところが幕府は、嘉永六年（一八五三）のペリー来航を契機に、旧来の日本の船では欧米列強の軍艦に対抗できないことを大いに認識し、大船建造の禁止令を撤廃する。これによって、幕府はもとより、水戸藩や薩摩藩、佐賀藩、長州藩などの有力な諸藩は、自力で洋式軍艦の建造に取り組むことになったのである。

しかしながら、幕末の日本では、洋式軍艦のうち、帆船であれば在来の技術で対応が可能であったが、蒸気船の場合は、機械工業の基盤がなかったためほとんど対応が不可能であった。幕府や佐賀藩、薩摩藩は蒸気船の建造も試みたが、わずかな蘭書の知識による自力での建造が困難であることを悟ると、欧米列強からの輸入に頼らざるを得なくなった。わが国では、この試行錯誤的な経験を踏まえて、外国機械やお雇い外国人技術者が積極的に導入され、わずか五〇年の間で急速に造船の近代化が達成されたのである。

長州藩の場合は、伊豆半島の戸田村で培われたロシア式のスクーナー建造の技術を導入し、一隻目の軍艦丙辰丸を建造した。ついで、長崎海軍伝習所を介してオランダ式の技術を導入し、二隻目の軍艦庚申丸を建造した。しかし、いずれも木造帆船であり、自力での蒸気船建造は不可能であった。

なお、丙辰丸の建造に際して利用された船釘や碇の製作にあたっては、後述するように、大板山たたら製鉄遺跡で生産された鉄材が使用されたことも判明している。この事実は、長州藩の軍艦建造を在来技術が支えたことを裏付けており、造船近代化の過渡的段階を示す。

このように、恵美須ヶ鼻造船所跡は、日本における造船近代化の最初期の様相を伝えるのみならず、ロシア式の軍艦建造およびオランダ式の軍艦建造の遺構が共存する唯一の事例でもある。

◉もっと深く知るために

現地では屋外にパネルを設置し、恵美須ヶ鼻造船所の歴史や遺産の価値などを、遺跡発掘時の写真などとともに紹介している。また、無料ガイドによる説明を聞くことができるほか、ガイドの詰め所でタブレットPCの無料貸し出しを行っている。タブレットPCでは、VR（バーチャルリアリティ・仮想現実）で再現された恵美須ヶ鼻造船所跡の遺構およびここで建造された丙辰丸・庚申丸を見ることが可能である。（道迫真吾）

参考文献

・小川亜弥子『幕末期長州藩洋学史の研究』（思文閣出版、一九九八年）
・『山口県史　通史編　幕末維新』（山口県、二〇一九年）

大板山たたら製鉄遺跡*
（萩市文化財保護課提供）

大板山たたら製鉄遺跡（おおいたやませいてついせき）

洋式軍艦建造の際に伝統的な製鉄技術で鉄材を供給

◉歴史

「たたら」は、粘土で築いた炉の中に燃料（木炭）と原料（砂鉄）を交互に投入し、人工的に空気を供給する「ふいご」と呼ばれる送風装置を用いて、炉内を三日三晩焚き続け、砂鉄を溶かして鉄の塊を造る日本古来の製鉄技術である。江戸時代、中国地方は全国屈指の鉄生産地であり、とくに出雲・石見地方が盛んであった。たたら製鉄は、刀剣や槍先などの武器、包丁や鋏などの刃物、鎌や鍬などの農具、そのほかの民生品も含む幅広い用途に適する鉄素材を供給していた。

江戸時代前期の長州藩領には、土着領民によるたたら場が存在したが、一八世紀以降に石見（いわみ）の鉄山師によって駆逐され、石見系たたら場が展開・隆盛したとされる。一九世紀になると、長州藩では藩政改革に伴う国産政策の一環として製鉄業の藩営化が進められた。なかには、藩営のたたら場も登場したが、藩営化は、基本的には石見系のたたら場を御国産製鉄所として指定し、鉄の生産・販売の統制を行おうとするものであった。なお、江戸時代の長州藩

data

①〒758-0501山口県萩市大字紫福10257-11②0838-25-3380（萩市世界文化遺産室）③http://www.ohitayama-tatara.net/④無休・見学自由⑥無料⑦萩市⑧萩市街より車で約40分（※大型車通行不可）。道の駅「ハピネスふくえ」前の信号を須佐・紫福方面に約8.5km進み、山の口ダム3kmの看板を左折後、突き当たりを山の口ダム方面に約3km。

領における たたら場の遺跡は、一二三ヵ所が確認されている。

こうした環境のもとに、大板山のたたら場は存在した。このたたら場は、長州藩領における石見系たたら場の典型例とみられており、かつ、領内最大規模のたたら場であった。

江戸時代、大板山のたたら場の周囲には、長州藩の御立山（藩有林）を中心とする、三五〇町歩（一町歩は約九九〇〇平方メートル）にも及ぶ深い山林があった。たたら場の拠点が山奥にあったのは、豊富な森林資源と河川から供給される水を必要としたからである。大板山におけるたたら場の操業は、宝暦期、文化・文政期、幕末期の計三回が確認されている。操業期間に数十年間もの空白があるのは、伐採された森林の回復に相応の時間がかかったためである。

一回目は、宝暦年間（一七五一～一七六四）のうち約八年間操業された。大板山で林業経営を行っていた阿川六郎兵衛が鉄山御用を思いつき、津和野藩領民（現島根県津和野町）の紙屋伊三郎に相談して、たたら場を開設したとされる。この操業時の特徴は、経営者が長州藩領民であったにもかかわらず、技術的には津和野藩領の鉄山師に依存していたところにある。

二回目は、文化九年（一八一二）から文政五年（一八二二）までの約一〇年間操業されたと考えられている。経営者は津和野藩領民の原田勘四郎で、実質的な開設には浜田藩領民（現島根県浜田市）の江尾氏が関係していたとされる。その後、原田家の衰退に伴い、大板山のたたら場の経営は、浜田藩領三隅湊（現浜田市）の竹屋へ移管されたとみられている。

なおこの時期については、原料砂鉄の搬入経路も明らかになっている。砂鉄は、津和野藩領井野村（現浜田市）の山砂鉄を買い取り、井野村から三隅湊までの約一〇キロメートルの陸路を駄送（馬に荷を運ばせること）、三隅湊から阿武郡奈古浦（現山口県阿武町）までの海上約五〇キロメートルを船送、さらに奈古浦から大板山のたたら場までの陸路約一〇キロメートルを駄送したと考えられている。また、生産された鉄は長割鉄と称し、奈古浦から赤間関（現下関市）の鉄問屋へ出して、主に九州方面へ販売していたという。

三回目は、安政二年（一八五五）から慶応三年（一八六七）頃までの約一二年間操業されたとみられている。経営者は、石見国大森天領那賀郡渡津村（現島根県江津市）の原屋（高原）竹五郎である。

ちょうどこの時期、長州藩では安政三年（一八五六）に恵美須ヶ鼻造船所を設置し、洋式軍艦丙辰丸の建造に着手していた。この時に、大板山のたたら場で生産された鉄材が使用されたことは注目に値する。具体的には、丙辰丸を建造する際、釘や碇などの製作のために、大板山のたたら場で生産された鉄材が用いられている。なお造船所には「鍛冶固屋」があり、ここで鉄材を鍛造してさまざまな鉄製品につくり変えていたと考えられる。つまり、大板山のたたら場は、長州藩が

高殿（製鉄炉）跡（道迫真吾撮影）

自力で洋式船を建造するにあたって重要な役割を果たしたのである。
そして文久三年（一八六三）以降、大板山の産鉄はすべて藩が買い上げることになった。その後、慶応三年（一八六七）まで大板山のたたら場の操業が続けられたことは確かで、明治初年まで続けられていた可能性もある。
史跡保存の面では、『福栄村史』（一九六六年）で大板山のたたら場跡の存在が紹介されているものの、ほとんど注目されてこなかった。遺跡の状況が明らかになったのは、昭和五六年（一九八一）に山口県教育委員会が実施した採鉱冶金関係生産遺跡分布調査においてである。この時、関係史料や遺構表面の調査によって、遺跡の具体的な内容が明らかになり、山ノ口川の両岸約二万平方メートルにわたって遺構が点在していることが確認された。
昭和五七年（一九八二）に山ノ口ダムが完成したことにより、その湖底に墓地や下小屋など、たたら場の南半分が水没したが、元小屋や高殿など主要施設のある北半部約六五〇〇平方メートルは保護された。昭和六三年（一九八八）、「大板山たたら製鉄遺跡」は山口県の史跡に指定された。

遺跡での本格的な発掘調査は平成三年（一九九一）から平成六年（一九九四）までの四年間、六次にわたって実施された。また平成五年（一九九三）から平成八年（一九九六）にかけては、保存整備および環境整備工事が実施された。平成二四年（二〇一二）、「大板山たたら製鉄遺跡」は国の史跡に指定された。

◉世界遺産としての価値

江戸時代に隆盛した在来のたたら製鉄は、高炉の導入によって製鉄技術の近代化が進む過程で衰退し、明治後期にはそのほとんどが姿を消した。その過渡期において、大板山たたら製鉄遺跡は、長州藩が自力で軍備の近代化を進める過程で特異な役割を果たした。とくに、長州藩が軍艦を建造した際に鉄材を供給したことは注目すべき事実である。

大板山では、江戸中期以降に計三回、たたら場が操業された。大板山でのたたら場開設の目的は、燃料炭山としての豊かな森林資源の利用にあった。その背景には、石見からの砂鉄輸入を可能にした、廉価な日本海廻船の存在があった。大板山は、石見の鉄山師が豊かな炭山を求めて長州藩領にたたら場を打ち据えた結果をよく示している。実際、西石見、とくに津和野藩領のたたら場経営は、中小の鉄山師（庄屋や商人）が豊かな木炭供給林にたたら場を置き、砂鉄を移入して行うものであった。これは、出雲から石見東部にかけてのたたら製鉄が、砂鉄の採取からたたら場の操業まで、大鉄山師によって一貫した経営形態が取られていたことと対照的である。

安政三年（一八五六）、長州藩が恵美須ヶ鼻造船所を設置して洋式軍艦を建造しはじめた頃、大板山でたたら場が操業されていたことは幸いであった。さらに、大板山のたたら場が銑鉄製造を主体にする銑押したたらであったことも幸いし、その大部分は歩鉧（ぶけら）（鉄・鋼・銑・鉄滓などの混合物）などと一緒に大鍛冶場で脱炭・鍛錬されて鋼（左下鉄：さげがね）や包丁鉄（割鉄ともいう。錬鉄のこと）に加工された。こうしてつくられた良質の鉄材を用いて、長州藩は造船関連の鉄具類の素材としたのである。

このように、大板山たたら製鉄遺跡は、数多い近世のたたら場のなかでも、洋式軍艦建造に鉄材を供給したこと、すなわち在来の製鉄技術が工業化初期の軍艦建造に活用されたことを示す稀有な事例であるといえる。

◉もっと深く知るために

平成二九年（二〇一七）三月、大板山たたら製鉄遺跡に隣接する場所に大板山たたら館が開館した。ここでは、大板山たたら製鉄の歴史や遺産の価値などを、遺跡発掘時の写真などとともに紹介している。考古遺跡は、一見しただけではわかりにくいが、地元で結成された福栄文化遺産保存活用会の会員による無料ガイドがあるので、ご利用いただきたい（事前予約がおススメ）。

（道迫真吾）

参考文献

- 山口県埋蔵文化財センター・福栄村教育委員会編『山口県指定史跡大板山たたら製鉄遺跡保存整備計画策定報告書』（福栄村教育委員会、一九九二年）
- 渡辺一雄「大板山たたら製鉄遺跡――萩藩領における石見系鑪の一事例」（『先史学・考古学論究』Ⅱ、龍田考古会、一九九七年）
- 渡辺一雄「萩藩の大板山たたら製鉄遺跡・白須たたら製鉄遺跡」（『季刊考古学』第一〇九号、二〇〇九年）

松下村塾*
（道迫真吾撮影）

山口県

松下村塾（しょうかそんじゅく）

工学教育の必要を説いて人材育成の面で工業化に貢献

◉歴史

松下村塾は、吉田松陰（よしだしょういん）の叔父玉木文之進（たまきぶんのしん）が天保一三年（一八四二）に創始した私塾である。やがてその塾名は、同じ松本村に居住していた松陰の親類久保五郎左衛門に引き継がれる。したがって松陰は、玉木・久保につぐ三代目の松下村塾主宰者ということになる。

松陰は元来、長州藩の藩校明倫館の山鹿流兵学者であった。松陰は兵学者という立場から、日本の独立を維持するため、海防の強化を中心的な課題とし、いわゆる「鎖国」という条件下に置かれながらも、海外の事情や西洋の知識などを意欲的に学んだ。とくに、箕作省吾（みつくりしょうご）が著した『坤輿図識（こんよずしき）』や清（中国）の魏源（ぎげん）が著した『海国図志』などの世界地理・歴史書を通じ、外国事情を熱心に研究していた。松陰はまた、儒学、日本・中国・西洋の歴史および地理、医学、算術、農学、経済など幅広い知識を修得した。

松陰は長州藩の遊学制度を有効に活用して、まず、嘉永三年（一八五〇）に九州へ遊学した。長崎では町役人にして砲術家の高島浅五郎（秋帆の子）のもとで洋式砲術を学んだ。平戸では儒者葉山佐内のもとで海外情勢や洋式大砲を熱心に学んでいる。具体的には、

data

①〒758-0011山口県萩市椿東1537②0838-22-4643（松陰神社）③https://showin-jinja.or.jp/about/syokasonjuku/（松陰神社）④境内自由⑥無料⑦宗教法人松陰神社⑧広島方面より（山陽自動車道）防府東ICより約80分、福岡方面より中国自動車道経由で小郡萩道路絵堂ICから車で30分。島根方面より（国道191号線）益田市から約60分。

アヘン戦争に関する林則徐の記録『聖武記附録』、アヘン戦争の顛末を記した『阿芙蓉彙聞』、フランスの砲術書『百幾撒私』など、海防の強化や大砲の洋式化にかかわる書物を熟読・筆写した。

ついで嘉永四年（一八五一）江戸に遊学し、佐久間象山の影響を受けてオランダ語の習得を開始する。さらに同年暮れ、北日本沿海のロシア船対策を実地に踏査するため東北遊歴に出かけるが、この時、藩から過所（関所手形）が発行されるのを待たずに江戸を離れた。ために嘉永五年（一八五二）、松陰は士籍剥奪・家禄没収の処分を受け、浪人となった。

その後、松陰は藩から一〇ヵ年の諸国修業を許され、再度江戸へ出た。嘉永五年にはペリーの来航予告情報を入手しており、翌年、実際にペリーが浦賀に来航した際には現地へ赴き、蒸気軍艦を眼前にしてさらに西洋の文物への関心を強めている。安政元年（一八五四）一月にペリーが再来すると、松陰は三月、ペリーに対して「五大州を周遊せんと欲す」との書を送り、伊豆半島の下田沖において同志の金子重之助と

絹本着色吉田松陰像(自賛)(肖像部分)
(山口県文書館蔵)

ともに黒船に乗船するも、密航に失敗した。松陰は萩へ送り返され、野山獄を経て実家杉家に幽閉された。

松陰は安政三年(一八五六)三月、杉家の幽囚室において、近所に住む武士の子弟らへの講義を始めた。つまり杉家において、事実上、松陰の松下村塾がはじまっていたのである。

安政四年(一八五七)一一月五日、松陰は八畳一室の塾舎を得た。これは、杉家の宅地内にあった小舎を改修したものである。その後、塾舎が手狭になったため、安政五年(一八五八)三月、門人らの共同作業により一〇畳半の部屋を増築した。この頃が松下村塾の最盛期にあたり、七月、長州藩は松陰の家学教授を公認した。

門人は、通算九二名の存在が確認されている。その大半は、一〇代後半から二〇代前半までの青少年で、松陰は、武士・町人・農民の身分の別を問わず、学習意欲のあるものなら誰にでも入塾を許した。彼はとくに時事問題を重視し、単に書物の意味や解釈を教えるだけでなく、現実の諸問題と関連づけて講義した。

安政五年(一八五八)六月、幕府は朝廷の許可を得ずに日米修好通商条約を結んだ。松陰はこの無勅許調印を契機として、幕府政治への批判を開始する。そのため、一二月、長州藩は松陰を再び野山獄に投じ、松下村塾は閉鎖された。松陰が松下村塾を主宰した期間は、わずか約二年一〇ヵ月である。

松陰の思想で、工業化への貢献という観点から注目されるのは、工学教育論である。それは、松陰が安政五年（一八五八）六、七月頃に著した「学校を論ず、付けたり作場」という論文に端的に示されている。松陰は、人材養成を国勢振興の根本にすえること、身分の高低や学問の深浅にとらわれず機会均等に学生を学校に入れることの必要性を述べ、実技を重視した教育の重要性を説いた。要するに松陰は、理論を教える学校に、実技を教える作業場を併設すべきだと訴えたのである。さらには、彼が軽度な手工業の域を脱し、職人の英知を結集すれば軍艦や機械の製造も可能になると主張するなど、すでに重工業の段階まで視野に入れていたことは注目に値する。松陰は、現在でいうところの工業学校を設置し、工業基盤を整備・強化することこそが、欧米列強に対峙するうえで不可欠だと考えていたのである。これは、佐賀・薩摩両藩が藩主導で行ったことを個人的に構想したという点で注目に値する。

その後、松陰の幕政批判は過激さを増し、安政六年（一八五九）五月、安政の大獄を開始していた幕府の命令によって江戸に呼び出され、自ら幕府要人の暗殺計画を供述したことにより、一〇月、江戸の獄舎で処刑された。

松下村塾は、松陰の義弟久坂玄瑞・楫取素彦、実兄杉民治ら、おもに彼の近親者によって断続的に継承され、明治二五年（一八九二）頃に閉鎖された。

史跡保存の面では、松下村塾の塾舎は明治二三年（一八九〇）に保存修理が行われた。その際、松陰を祀る土蔵造りの小祠が建てられた。さらに、松下村塾門人で初代首相をつとめた伊藤博文、同じく門人で内務大臣などをつとめた野村靖らの運動により、明治四〇年（一九〇七）に松陰神社が県社として建立された。

大正一一年（一九二二）、「松下村塾」および「吉田松陰幽囚ノ旧宅」は国の史跡に指定された。大正一三年（一九二四）、漆喰壁などの保存修理が行われ、昭和一三年（一九三八）にも保存修理が行われた。昭和三五年（一九六〇）と昭和四五年（一九七〇）には、防災施設が設置された。昭和五八年（一九八三）から昭和六一年（一九八六）にかけては屋根瓦の全面葺替や部分的な修理などが実施された。

なお松下村塾の塾舎は、現在、東京の松陰神社（東京都世田谷区若林）をはじめ、玉川学園（東京都町田市）、大館市立栗盛記念図書館（秋田県大館市）、山口県立萩高等学校奈古分校（山口県阿武町）、周南市公立大学（山口県周南市）、山口放送株式会社（同）の六ヵ所に模築されている。

◉世界遺産としての価値

江戸時代、日本人が諸外国と私的に通交することは国禁であった。徳川幕府は寛永一二年（一六三五）、いわゆる「鎖国」政策の一環として、日本人の海外渡航および日本人の国外からの帰国を全面的に禁止したのである。

そうした厳しい制約のもと、非公式に海外への渡航を試みた先駆者の一人が吉田松陰である。彼が密航失敗後に主宰した松下村塾は、日本の工業化に必要な理念や政治思想を育んだ重要な教場の一つとなった。

松陰は、欧米列強の植民地政策に対抗するために、欧米の技術力の背景を探る必要があることをいち早く認識した類稀な知識人の一人であった。「鎖国」という条件下では、お雇い外国人を招聘して西洋の知識・技術を直接移入することは困難であったため、彼は在来の技術者を結集することで産業化を実現しようとした。つまり松陰は、身分を問わず学生を集め、学校と作業場、すなわち理論と実技を兼ね備えた工学の教育施設を開設すべきことを説いたのである。

松陰が果たせなかった欧米留学や工学教育の志は、松下村塾門人の伊藤博文を含む五名の長州藩密航留学生「長州ファイブ」により具現化された。伊藤は、井上馨・井上勝・山尾庸三・遠藤謹助とともに、文久三年（一八六三）に国禁を破ってイギリスへ渡り、産業革命の実態を学んだ。その後、明治政府において、伊藤が設立の中心になった工部省は、鉱山・製鉄・灯台・鉄道・電信などの工業化政策を推進した。また山尾は、工学教育の必要を認識して、工学寮、ついで工部大学校（東京大学工学部の前身）の設立に尽力し、人材養成に努めた。このようにして、彼らが軍事力の強化だけでなく、産業の総合的な近代化に取り組んだ結果、日本は世界有数の工業国家へと生まれ変わった。つまり「長州ファイブ」は、欧米に対する強烈な危機感のもと、日本の対外的独立、国家的発展に大きく貢献したのである。

このように、松下村塾は、欧米列強に対抗すべく、幕末の日本でいち早く工学教育の必要性を提唱し、人材教育面で工業化に貢献したことを示す稀有な事例である。

なお吉田松陰の教育活動は、杉家（吉田松陰幽囚ノ旧宅）および松下村塾舎の二つの建物で営まれた。よって、この二つの建物を構成資産「松下村塾」としている。

◉もっと深く知るために

松下村塾は、従来多くの人々にその存在を知られ、萩でも屈指の観光名所となっている。それは、幕末維新の変革や明治国家の形成に活躍する多数の志士や政治家を輩出したからにほかならない。そして今回、工業化への貢献という新しい観点から捉え直すことによって、松下村塾にさらなる魅力が付加された。ただ、松下村塾がなぜ「明治日本の産業革命遺産」に入ったかが一般的に十分には理解されていないため、今後はこの観点からさらに情報発信を続ける必要がある。たとえば、学校や市民向けの講座はもとより、萩・明倫学舎内の世界遺産ビジターセンターには、松下村塾での授業の様子を映像でわかりやすく再現した「松陰先生の白熱教室」が備えられているため、その積極的な活用を進めたい。

（道迫真吾）

参考文献

・海原徹『吉田松陰』（ミネルヴァ書房、二〇〇三年）
・道迫真吾『萩の近代化産業遺産——世界遺産への道』（萩ものがたり、二〇〇九年）
・道迫真吾『長州ファイブ物語——工業化に挑んだサムライたち』（萩ものがたり、二〇一〇年）
・鈴木淳編『工部省とその時代』（東京大学出版会、二〇〇二年）

旧集成館反射炉跡*
石組みの下部構造のみが現存
（鹿児島県世界文化遺産室提供）

鹿児島県

旧集成館

自力で富国強兵・殖産興業を目指した大規模近代工場群

◉歴史

鹿児島市の市街地から国道一〇号を車で北上すると、一〇分足らずで鳥越トンネルに至る。そして、トンネルを抜けると風景が一変し、桜島と錦江湾が目の前に広がる。風光明媚なこの一帯は、薩摩藩主島津家の別邸などがあった場所で、江戸後期に編纂された地誌『三国名勝図会』などには「大磯」と記されているが、現在では単に「磯」と呼ばれている。この磯地区こそ、幕末に島津斉彬が集成館事業を興した場所である。

薩摩藩は、日本列島の最南端に位置し、三方を海に囲まれている。さらに、琉球王国を間接的に支配するという地理的・政治的理由から、一九世紀に入り産業革命を経た西欧列強が次々とアジアに進出するようになると、他の地域に先駆けて外圧の脅威にさらされた。例えば、文政七年（一八二四）にはイギリスの捕鯨船の乗組員がトカラ列島の宝島に上陸し、牛を略奪してトラブルになった宝島事件、天保八年（一八三七）には日本人漂流民七人を伴い通商を求めて薩摩半島南端の山川に来航したアメリカの商船モリソン号を

data

【旧集成館反射炉跡(仙巌園内)】①〒892-0871鹿児島県鹿児島市吉野町9700-1②099-247-1551(仙巌園)③https://www.senganen.jp/④9時～17時⑤無休⑥大人1,000円、小中学生500円⑦株式会社島津興業⑧鹿児島中央駅から車で約20分。鹿児島市周遊バスで仙巌園前(磯庭園前)下車徒歩1分。

異国船打払令に基づき撃退したモリソン号事件などが起きている。

さらに、弘化元年（一八四四）から同三年にかけて英仏の軍艦が相次いで琉球に来航し通商を求めた際は、薩摩藩は幕府から対応を一任された。

そのような世界情勢の中、嘉永四年（一八五一）に藩主となった斉彬は、日本の独立を守り西洋の植民地化を防ぐことを最優先に考えた。そのために鹿児島城下郊外の磯地区（現吉野町）に集成館と総称される一大工場群を作って近代化、工業化を進めた。斉彬は安政五年（一八五八）に急逝したため、藩主としての活動は僅か七年という短い間であったが、この集成館を拠点に富国強兵・殖産興業の施策を強力に展開した。

data
【旧集成館機械工場（尚古集成館）】①鹿児島市吉野町9698-1②099-247-1511（尚古集成館）③https://www.shuseikan.jp/④9時～17時⑤無休（耐震・リニューアル工事のため令和6年10月まで本館は休館）⑥大人1000円、小中学生500円（仙巌園と共通）⑦株式会社島津興業⑧鹿児島中央駅から車で約20分。鹿児島市周遊バスで仙巌園前（磯庭園前）下車徒歩1分。

島津斉彬肖像画（黒田清輝筆）
（尚古集成館蔵）

「旧集成館反射炉跡」

海防の重要性を重視していた島津斉彬は、西欧列強の強力な軍事力に対抗するため、藩主就任と同時に大砲の鋳造と洋式軍艦の建造に着手した。これは、斉彬の「海から来る敵は海で防がなければならない」という考えを具現化したものだった。

大砲については、すでに前藩主の島津斉興が青銅製の大砲の製造に取り組んでいた。しかし、銅は高価であり大量生産するには膨大な原材料費がかかるため、鉄製の大砲を造る必要があった。鉄製砲の鋳造には、火床で石炭等の燃料を燃やし、その熱を壁に反射させて炉床の銑鉄を溶かす反射炉が不可欠であった。

当時、国内で反射炉の建造に成功していたのは佐賀藩だけであった。同藩はオランダの陸軍少尉ヒューゲニンが著した『ロイク国立鋳砲所における鋳造法』を参考にして反射炉を建造していた。そこで、斉彬は佐賀藩からその翻訳書『西洋鉄熕鋳造篇』（手塚謙蔵訳）を譲り受け、反射炉の研究、建造に取りかかった。

薩摩藩の蘭学者や技術者たちは、実物を一度も見たこともない反射炉を建造し、鉄を溶かして大砲を造るという大きな難問に直面したが、西洋の知識

data

【旧鹿児島紡績所技師館（異人館）】①鹿児島市吉野町9685-15②099-227-1940（鹿児島市教育委員会文化財課）③http://www.city.kagoshima.lg.jp/kyoiku/kanri/bunkazai/shisetsu/kanko/048.html④8時30分～17時30分⑤無休⑥大人200円、小中学生100円⑦鹿児島市教育委員会⑧鹿児島中央駅から車で約20分。鹿児島市周遊バスで仙巌園前（磯庭園前）下車徒歩2分。

や技術を、日本の在来技術に置き換えることで自分たちのものにしていった。例えば、反射炉の下部構造の石組みについては城の石垣の技術を応用し、耐火煉瓦は薩摩焼の技術を応用するといった具合である。

事業は困難を極め、建設途中で反射炉（一号炉）が傾いたり、火を入れても鉄を溶かす温度まで届かなかったり、耐火煉瓦が崩落したりと試行錯誤の連続であった。斉彬は、たび重なる失敗に自信を失う技術者たちを前に、「西洋人も人なり、佐賀人も人なり、そして薩摩人も同じく人なり。退屈せずますます研究すべし。」と激励したという。

安政四年（一八五七）、二本の煙突と炉が連なった一基二炉の二号炉が、開発から六年かけて完成した。炉の下部構造の石組みには、除湿のための空間を設けた。頑丈な基礎の石垣にも湿気対策のため、大人が通り抜けられるくらい大きな暗渠が設けられていた。現存する反射炉跡はこの二号炉の遺構であり、湿気対策の暗渠も当時のまま残っている。反射炉の完成によって鉄製砲の鋳造が可能となった。

なお、斉彬は反射炉の建設と並行して、鉄鉱石から鉄を取り出す溶鉱炉（高炉）の建造にも着手した。日本古来のたたら製鉄による和鉄は品質が一定せず、鋳砲には適さないことを見越してのことであった。原料の鉄鉱石は、領内の日向国吉田（現宮崎県えびの市）で採掘したものを用いた。その他、一帯には大砲の砲身に穴をあける鑽開台、蒸気機関の製造所、さらにはガラス工場といった施設も次々に建設され、最盛期には工場群全体で千二百人余が働いていたという。

「旧集成館機械工場」

文久二年（一八六二）、島津久光が江戸から下向する途中、行列を乱した騎馬のイギリス商人を藩士が殺傷した、いわゆる生麦事件が起こった。しかし、薩摩藩は藩として攘夷を掲げたことはなく、本件は極めて偶発的な出来事であり、当時頻発していた他の外国人襲撃事件とは全く性質が異なるものであった。

イギリス側の犯人処刑と賠償金の要求に対し、薩摩

旧集成館機械工場　尚古集成館外観＊（鹿児島県世界文化遺産室提供）

藩は「非はイギリス側にある」としてこれに応じなかったため、駐日英国代理公使ジョン・ニールは直接交渉に臨むためオーガスタス・キューパー中将率いるイギリス東洋艦隊七隻を鹿児島に向わせた。したがって、イギリス側は最初から戦闘を想定していたわけではなく、あくまで示威行動を通して薩摩藩を交渉のテーブルに着かせることが目的であった。迎える薩摩側は、鹿児島城下を中心に鹿児島湾の海岸要地に台場が築かれ、大砲を据えた砲台が設置されていた。

そして、薩摩藩が所有する蒸気船三隻がイギリス側に拿捕されたことを契機に、天保山砲台からの砲撃を合図に戦闘が開始された。薩摩藩側の死者五人、負傷者一四人に比べイギリス側の死者一三人、負傷者五〇人という数字だけ見れば、むしろ薩摩側の勝利のようにも見えるが、イギリス艦隊の艦砲射撃により城下の各砲台は全て破壊され、市街地の一部も焼失した。そして、斉彬が心血を注いだ集成館の工場群も灰燼に帰した。

イギリスとの圧倒的な軍事力の差を見せつけられた

薩摩藩では、前藩主の島津斉彬が行った近代化の重要性を再認識することとなった。藩主島津忠義とその後見人で「国父」と呼ばれた島津久光の下で集成館事業の再興が図られ、より積極的に工業化が展開された。イギリスに使節団や留学生を派遣して西洋の優れた技術や知識を積極的に導入するとともに、西洋の優れた機械を直接輸入して近代化を加速させていった。

機械工場の建設そのものは薩英戦争の前から計画されていたらしく、藩士で技術者の竹下清右衛門が長崎に派遣され、オランダ人が建設した幕府の長崎製鉄所（現三菱重工業長崎造船所）を視察している。竹下は、長崎製鉄所に轆轤台、鉋台、捻製作道具等の工作機械を発注し、技師の本庄覚次郎や職工等の招聘も行った。その他に、オランダからも機械を購入しており、慶応年間にはイギリスからも機械を購入している。

集成館機械工場の建物は現存しており、現在は島津家の歴史や集成館事業を紹介する博物館「尚古集成館」の本館として使用されている。凝灰岩（火山から噴出された火山灰が堆積してできた岩石）を精巧に積んで作られた「ストーンホーム」と呼ばれる石壁が特徴のこの建物は、現存する国内最古の洋式工場で、日本における草創期の西洋建築を考える上で極めて重要とされる。

ところで、洋式工場というと赤煉瓦造りの建物をイメージしがちであるが、集成館機械工場は地元の石材を用いて造られている。建物の大きさは、長さ約七六メートル、幅一一メートルで、アーチ型の窓が特徴的である。現在は屋根に瓦が葺かれているが、建設当時は鉄板亜鉛葺きだったという。外観は洋風であるが、屋内を見てみると天井部分には日本の建築物に見られるような太い梁が並んでいる。しかし、集成館機械工場の建物はトラス構造と呼ばれる細い部材で三角形を組み、力を分散して全体を保つ仕組みである。したがって、オランダ人が建設した長崎製鉄所の建物の図面を参考に、地元の大工たちが西洋建築の原理を完全に理解しないまま、何とか工夫して建築したものと考えられる。なお、建物の土台部分には神社建築に見られる亀腹石と呼ばれるカマボコ形の石が施されており、飾

旧鹿児島紡績所技師館　異人館外観＊（鹿児島県世界文化遺産室提供）

り気のない無機質な工場を建物として装飾した日本人の感性が指摘されている。

工場の動力には蒸気機関が用いられ、長崎製鉄所やオランダ・イギリスから購入した機械が稼働していた。例えば、尚古集成館にはオランダＮＳＢＭ社製の「形削盤」などが現存している。

「旧鹿児島紡績所技師館」

島津斉彬は、それまで大坂などから仕入れていた帆船に使用する帆布を自前で生産するため、紡績事業にも取り組んだ。鹿児島城下近郊の郡元、田上、永吉に紡績所を建設し、水車を動力に帆布の生産を行った。次の藩主忠義は、直接イギリスから近代紡績技術（蒸気機関による機械紡績）を導入するため、使節団をイギリスに派遣し、紡績機械の購入や紡績技師の招聘に当たらせた。

イギリスに到着した使節団の団長の新納久脩と五代友厚は、留学生らをロンドンに残し、通訳の堀孝之を伴ってイギリス各地の工場都市に赴き、武器弾薬や軍艦等の購入に奔走した。マンチェスターでは、当時世界最大の紡績機械メーカーであったプラット・ブラザーズ社と、紡績工場の設計と技師派遣の契約を行った。さらに、その設計に基づいて、同社に開綿機、梳綿機、竪錘精紡機、斜錘精紡機などの紡績機械を発注した。その他、力織機をベリスフォード社に、伝導装置をホレン・ホプキンソン社に発注している。

　慶応二年（一八六六）一一月に技師が鹿児島に到着すると、勝手方用人の松岡政人と作事奉行の折田年秀が掛となって、紡績工場とイギリス人技師の住居である技師館の建設が始まった。翌三年一月には注文していた紡績機械とともに残りの技師も到着し、工場建設と並行して機械の据付けを進めた。同年五月に鹿児島紡績所が完成して、松岡正人がそのまま紡績所総裁に就任し、新納太、三原甚五左衛門が紡績掛に任命された。

　イギリス製の大規模な紡績機械を備えた鹿児島紡績所は、日本初の洋式機械紡績工場であり、派遣された七人のイギリス人技師の指導の下、二百人余の職人が当時最新鋭の技術で紡績を行った。原料の綿は関西から買い入れ、出来上がった製品の多くは関西に運ばれ販売された。明治二年（一八六九）の記録によると、年間六万五千反の白木綿と二千六百斤余の綛（紡いだ糸を巻き取って束にしたもの）が生産されたとある。

　鹿児島紡績所が石造りの工場だったのに対し、技師館（通称「異人館」）の方は木造の総二階建で、四方にベランダを巡らせたコロニアルスタイルの造りであった。洋風な外観で、古写真を見ると煙突も確認できるので建設当時は暖炉もあったことが判明している。

　ただし、建物は和小屋組、柱間寸法は六尺であり、日本の構造方法、寸法体系が用いられている。したがって、イギリス人によって設計された図面を基に、日本人の大工が日本の技術で施工したと推定されている。このようなことから、旧鹿児島紡績所技師館は、幕末期における建築洋風化の進展を示す代表的な事例として位置付けられている。

　技師館の具体的な設計者については、後に大阪造幣寮泉布観や銀座煉瓦街の設計をしたトーマス・ウォートロスとされてきた。しかし、技師館が建設された期間、ウォートロスは奄美大島で白糖工場の建設に当っていたため鹿児島には不在だったことから、現在では鹿児島紡績所を建設したシリングフォードが技師館の設計も行ったのではと考えられている。

英国人技師七人は、当初三年間の契約であったが、実際は一年で帰国した。その後、建物は大砲製造支配所として使用され、明治五年（一八七二）の明治天皇の巡行の際には昼食の場として利用されている。明治十年の西南戦争では負傷兵を収容する施設として使われたともいわれるが、そのことを裏付ける史料は見当たらない。

さらに、明治一五年に旧鶴丸城（鹿児島城）跡地に移築され、鹿児島学校、県立中学造士館、そして第七高等学校造士館の本館として使用された。昭和一一年（一九三六）には、明治天皇臨幸記念館として保存するため現在地に再移築され、現在に至っている。

◉世界遺産としての価値

旧集成館は、「明治日本の産業革命遺産」において、「製鉄・製鋼分野における試行錯誤の挑戦段階及び造船分野における西洋の科学技術の導入段階までを示す構成資産」と位置付けられている。

西欧列強の植民地化を免れるため近代化、工業化を図った国は他にも存在する。そのほとんどが必要な機材や資材を西洋から輸入したり、外国人技術者を招いて指導を仰ぐといった手法を採っている。ところが、斉彬が近代化に取り組んだ時代は、いわゆる「鎖国」のため、外国人技術者から直接指導を受けることが出来ず、自分たちだけで書籍の知識を基に研究、実験を重ね、「自力の近代化」を果たすしかなかった。そのためには、西欧の先進技術を在来の技術に置き換えながら作り上げるしか方法はなかった。しかし、結果的にこうした積み重ねにより知識や技術を自分のものとすることができ、それが明治日本における短期間での近代化、工業化につながっていくのである。「なぜ非西欧諸国の中で日本だけが植民地化を免れ、短期間で近代化・工業化に成功したのか」という解答の一つをここに見出すことができる。

試行錯誤を繰り返し蓄積していった技術やノウハウは、薩摩藩だけにとどまらず各地に伝播していった。一例を挙げると、集成館事業における反射炉や機械工場の建設に携わった竹下清右衛門（せいえもん）は、水戸藩が那珂湊に反射炉を建造する際に同藩に派遣され協力をしている。そこには、後に釜石の橋野高炉を建設する大島高任（おおしまたかとう）が参加しており、薩摩藩の反射炉や洋式高炉の技術は、水戸・釜石を経て最終的には北九州の八幡製鐵所へと伝わっていったと考えられる。幕末期における技術やノウハウの蓄積こそ、明治日本が一気に産業革命を成し遂げるための重要な基盤となったのである。

薩摩藩の集成館事業が幕府や他藩の近代化、工業化の取組と大きく異なる点は、軍艦建造、大砲鋳造といった軍事面にとどまらず、薩摩切子、薩摩焼、写真、出版、紡績などの産業育成、教育、病院や育児施設などといった社会基盤の整備まで目指したところである。斉彬が最も重視したのが「人の和」であり、それこそが日本を守る城となり、人々に豊かな暮らしを保証することで人の和が生まれるというのが斉彬の持論であった。

斉彬は、知識や技術の不足する部分は他藩に求め、反対に他藩からの視察を積極的に受け入れるなど、軍事機密もオープンにした。反射炉については佐賀藩から技術書の提供を受け、洋式軍艦の建造に当たっては土佐の漂流民でアメリカで学んだ経験を持つジョン万次郎から捕鯨船の構造などについてアドバイスを受けた。そして、試行錯誤を経て完成した本格的洋式帆船「昇平丸（しょうへいまる）」は、惜しげもなく幕府に献上した。それは、斉彬が薩摩藩という枠を超えて日本という枠組みで国防を考えていたからであり、そのため政治的には朝廷と幕府の公武合体の実現を目指したのである。

維新後、大久保利通等が明治新国家の基礎を築く際のスローガンとして掲げたのが、斉彬が集成館事業で試みた「富国強兵」「殖産興業」であった。誕生したての明治日本が極短期間で近代化を果たすことができた大きな要因の一つはそこにあると考えられる。

◉もっと深く知るために

姫路城や日光東照宮のように一見して世界遺産であることを納得してもらえる遺産に対し、「明治日本の産業革命遺産」は、見ただけでその価値が分かりにくいものが多い。反射炉については、韮山のように煙突部分まで完全な形で残っていればイメージが湧きやすいが、集成館の反射炉の場合は石組みの下部構造の部分しか残っておらず、当時どのような建物が立っており、どのように稼働していたかが想像しにくい。「寺山炭窯跡」や「関吉の疎水溝」はなおさらである。

集成館事業に関する資料を展示して紹介する博物館として、旧集成館機械工場の建物を活用した尚古集成館があり、令和元年（二〇一九）には隣接する仙巌園内に鹿児島世界文化遺産オリエンテーションセンターが新設された。反射炉の復元模型が展示され、これまで理解しにくかった構造についても分かりやすく解説している。また、鹿児島県歴史・美術センター黎明館においても、同年にリニューアルした際に「明治日本の産業革命遺産」の展示コーナーが新設され、県内外からの来館者に集成館事業を詳細に紹介している。

旧集成館反射炉跡が保存されている仙巌園やそれに隣接する尚古集成館は鹿児島随一の観光地として、年間を通して国内外からの観光客や修学旅行の子どもたちで賑わっている。しかし、寺山炭窯跡と関吉の疎水溝については磯地区から遠く、観光ルートからも離れている。したがって、現時点では駐車場の整備と案内の看板は設置してあるものの、遺産の保全と周囲の環境整備に加え、遺産の意義や価値を多くの人に知ってもらう普及啓発活動、そして学校教育や生涯学習にどのように生かしていくのかが今後の課題である。

なお、鹿児島県では『かごしまタイムトラベル〜日本の近代化の歴史を訪ねる旅〜』という補助教材を作成し、毎年県下の小学校五年生に配付している。日本の歴史をまだ系統的に学んでいない児童にも分かりやすい解説と、写真やイラストを多用した見やすい作りということもあって、多くの小学校で郷土教育に活用されている。

一般県民や観光客に向けては、『明治日本の産業革命遺産～「産業国家」日本の原点 鹿児島』という小冊子を作成し、さらにVRアプリ「ストリートミュージアム」を利用して、当時の集成館事業の様子をスマートフォンで見ることが出来るようになっている。

外国からの観光客に旧集成館、寺山炭窯跡、関吉の疎水溝についての解説をするガイドを育成するため、県では「鹿児島県世界文化遺産地域通訳案内士」制度を創設し、育成に取り組んでいるところである。

（吉満庄司）

参考文献

・『薩藩海軍史』上巻（公爵島津家編輯所、一九二八年）
・『鹿児島県史』第三巻（鹿児島県、一九四一年）
・絹川太一『本邦綿絲紡績史』（日本綿業倶楽部、一九三七年）
・大橋周治『幕末維新製鉄史論』（アグネ、一九九一年）
・芳即正『人物叢書　島津斉彬』（吉川弘文館、一九九三年）
・『島津斉彬の挑戦』（尚古集成館、二〇〇二年）
・『島津斉彬の集成館事業～図録薩摩のモノづくり～』（尚古集成館、二〇〇三年）
・『薩摩藩集成館事業における反射炉・建築・水力動力・工作機械・紡績技術の総合的研究』（薩摩のものづくり研究会、二〇〇四年）
・『かごしま近代化遺産』（南日本新聞社、二〇〇五年）
・『旧集成館溶鉱炉・反射炉跡』（島津興業、二〇〇三年）
・『寺山炭窯跡発掘調査成果報告書』（鹿児島市教育委員会、二〇一二年）
・『かごしまタイムトラベル～日本の近代化を訪ねる旅』（鹿児島県世界文化遺産課、二〇一二年）
・『明治日本の産業革命遺産～「産業国家」日本の原点 鹿児島』（鹿児島県世界文化遺産課、二〇一八年）
・松尾千歳『シリーズ実像に迫る　島津斉彬』（戎光祥出版、二〇一七年）

寺山炭窯跡*
（鹿児島県世界文化遺産室提供）

鹿児島県

寺山炭窯跡（てらやますみがまあと）

集成館事業の燃料として必要な良質の木炭を大量に生産

◉歴史

鹿児島市の北部に広がる吉野台地の最も標高の高い一帯に、「寺山」と呼ばれる地区がある。寺山公園の展望台は錦江湾に突き出しており、眼下に錦江湾、遠くに桜島を臨む一大パノラマが広がっている。その寺山のうっそうと照葉樹林が生い茂る山中に、幕末に造られた巨大な炭窯が存在する。

集成館事業には大量の燃料が必要で、特に反射炉及び蒸気船の燃料としては石炭が欠かせなかった。斉彬は筑前福岡から石炭技師を雇い入れ、藩内各地を調査させ試し掘りを行わせたが、長島、甑島、阿久根、種子島など海岸部や島嶼などで石炭の鉱脈らしきものは確認できたものの、鉱脈が細かったり質が悪かったりして現実的に採掘は不可能であることが分かった。そこで、蒸気船の燃料などに必要な分は、唐津藩など藩外から購入することとして、その他は木炭を代用として使用することとした。

しかし、一般に使用されている黒炭では、精煉時の温度がせいぜい九百度までしか上がらず石炭の代用にはならないため、精煉時の温度

data

①〒892-0871鹿児島県鹿児島市吉野町10710-68②099-227-1940（鹿児島市教育委員会文化財課）③http://www.japansmeijiindustrialrevolution.com/site/kagoshima/component02.html④2023年3月まで災害復旧工事のため駐車場と遊歩道が一部利用制限⑥無料⑦鹿児島市教育委員会⑧鹿児島中央駅から車で約45分。鹿児島中央駅から中別府団地線にて約40分、少年自然の家入口バス停下車徒歩約20分。

が千三百度まで上る白炭を生産する必要があった。

薩摩藩における白炭の生産は、天保の財政改革を行った調所広郷に始まる。調所は薩摩藩の恵まれた森林資源に注目し、火力が強く商品価値が高い白炭を生産し、主に大坂へ販売していた。白炭生産は、主に日向国諸県郡の去川・高岡・穆佐（いずれも現在は宮崎市）や山之口（現在は都城市）、綾（現在は綾町）などに存在する藩直営の山林（日州御手山）で行われていた。集成館事業が始まると、反射炉等の燃料としてこの白炭が使用されることになったが、日向産の白炭を輸送するにはコストの面からも問題があった。そこで、斉彬は集成館事業を展開する磯の近隣に炭窯を設置することにした。

そこで、炭焼きの先進地である紀州熊野に御手山支配人の藩士山元藤助を派遣し、藤助配下の杣頭嘉吉と松太郎の二名を五〇日余り熊野に滞在させ、熱効率がよい白炭の製炭技術を習得させた。

そして、安政四年（一八五七）、磯周辺の「塩ケ水」、「荒平」、「孝々ケ谷」の山中に炭窯が設置された。これらの地名は現在は残っていないが、尚古集成館蔵の「磯平外諸所狩倉絵図」で見ると、塩ケ水は竜ケ水の付近、荒平は大崎の上の台地、孝々ケ谷は竜ケ水の上の台地にその名が見える。なお、昔は寺山一帯のことを「磯平」と呼んでいたとのことである。

炭窯は斜面地を利用して地面を掘削し、凝灰岩を用いて石垣を円弧状に積み上げて造られている。千五百度という高温に耐え、上部の土のドームを支えるために、非常に頑強な構造になっている。アーチ型の窯口門があり、内部は立て木で炭を焼いていたため、高さ約三メートル、直径五～六メートルに及び、当時の炭窯としては非常に大型であった。形態は参考にした紀州の炭窯の特徴を有しているが、大きさでいえば二倍以上の規模である。

白炭は、椎や樫といった堅木を原料にして生産された。生産された白炭は、吉野台地の崖から竜ケ水や心岳寺のあたりに下りる急峻な道を通って集成館のある磯地区まで運搬されたと考えられる。そして、反射炉や溶鉱炉で使用されたほか、薩摩切子や薩摩焼の製造にも利用されたという。

安政五年（一八五八）七月に島津斉彬の急逝に伴い、寺山の炭窯は閉鎖された。したがって、寺山の炭窯が実際に稼働したのは、一年足らずという極めて短い期間だった。しかし、その間六千俵もの白炭を量産したという。

炭窯の前に、安政五年建立の「炭竈乃記」と記された石碑が立っている。碑文は、幕末薩摩藩を代表する国学者で歌人の八田知紀によるもので、斉彬の功績や炭窯築造の経緯が記されている。八田は維新後、宮内省歌道御用掛として優れた和歌を残し、多くの門下生を育てたことで知られている。

碑文には「既に一番二番のかま成るに及び、三番は今石工なかばに至れり」とあって、二基が完成し一基が未完で合計三基の炭窯があったことになる。現存する炭窯は一基のみで、ここで炭が焼かれたことは確認されているので、一番窯か二番窯ということになる。残りの二基の建設場所は判明していない。

◉世界遺産としての価値

寺山炭窯跡は、集成館事業で必要となる燃料を供給するため、火力の強い白炭の量産を目指して築造された大型の炭窯である。それは、白炭の生産システムを表すとともに、「明治日本の産業革命遺産」における製鉄・製鋼分野の試行錯誤の挑戦段階を示す構成資産「旧集成館」全体の産業システムの一部を構成するものである。

島津斉彬の時代は、西欧から近代化のための資材や技術を直接導入することが出来ず、在来の資材や技術に置きかえることで克服していった。同じように、藩内ではどうしても入手できない石炭という燃料を、白炭によって代替した。そのため、積極的に藩外の先進地から技術を導入して、大規模に事業を展開していった。さらに、商品価値の高い製品が生産できるようになると藩外にも出荷しており、斉彬の目指した産業育成事業の典型と位置付けられる。

◉もっと深く知るために

令和元年（二〇一九）六月末から七月初にかけての豪雨で、寺山炭窯跡周辺の斜面が崩れ、流れ出した土砂で石積みが崩れた。遊歩道を含む炭窯の大部分が埋没したため、一帯は立ち入り禁止となっていたが、斜面地の復旧工事が完了したことから、令和四年三月三〇日から公開が再開された。八月一日からは石積みを一旦解体して発掘調査をした後、石を積み直す工事を行っている。復旧工事は令和五年三月末までの予定で、工事期間中も一般公開はされているが、臨時駐車場及び一部の遊歩道は利用できないので注意が必要である。

「集成館」の同項目も参照。

（吉満庄司）

関吉の疎水溝*
（鹿児島県世界文化遺産室提供）

鹿児島県

関吉の疎水溝

自然の地形を利用し集成館事業の水力動力の用水を供給

◉歴史

鹿児島市下田町関吉から吉野町実方まで、精木川（稲荷川の上流）左岸に沿って水路が続いている。周辺には春は桜、初夏は紫陽花、そして初秋は彼岸花が咲くなど牧歌的な風景が広がっており、格好のハイキングコースとなっている。

島津斉彬が集成館事業を展開するにあたり、初期の段階では蒸気機関を導入することができなかったため、機械動力として主に水車（水力）が使用された。集成館のある磯地区には、大きな河川は存在しない。現在の尚古集成館別館とガラス工芸館との間を流れる「磯川」も、仙巌園内を流れる「花倉川」も、工業用水としては絶対的に水量が足りない。そこで、背後の吉野台地を流れる精木川の関吉で水を堰き止め、約七キロメートルに及ぶ水路によって導水し使用した。これを取水口の地名を取って関吉の疎水溝といい、また吉野台地を巡る水路であるため吉野疎水とも呼ばれている。

関吉の疎水溝が初めて築

data

①〒892-0873鹿児島県鹿児島市下田町1263②099-227-1940（鹿児島市教育委員会文化財課）③http://www.japansmeijiindustrialrevolution.com/site/kagoshima/component03.html ④自由⑥無料⑦鹿児島市教育委員会⑧JR鹿児島中央駅から南国交通の緑ヶ丘団地線にて関吉の疎水溝入口バス停下車、徒歩5分。または鹿児島中央駅から車で約40分。

かれたのは、取水口付近にある建立記念碑の碑文から、元禄四年（一六九一）と判明している。当時は水田に水を引く灌漑用であった。この時点では疏水溝がどこまで達していたかは確認出来ないが、用途から考えて磯地区まで達していたとは考えにくい。享保七年（一七二二）、四代藩主島津吉貴（よしたか）は磯別邸に隠居する際、その生活用水として使用するため疎水溝を延長した。ということは、享保七年の段階ではすでに磯地区まで達していたことになる。

島津斉彬は、集成館の水車に安定した水を供給するため、嘉永五年（一八五二）に新たな疎水溝の整備を行い、工業用水として利用を開始した。関吉の取水口では川幅の狭い場所に堰（せき）を築いて水を堰き止め、水位をかさ上げして溶結凝灰岩上の水路に水を引き込んだ。堰を築くために岩盤に刻まれた縦長の溝が現在でも残っており、河床にも石工の鑿（のみ）跡

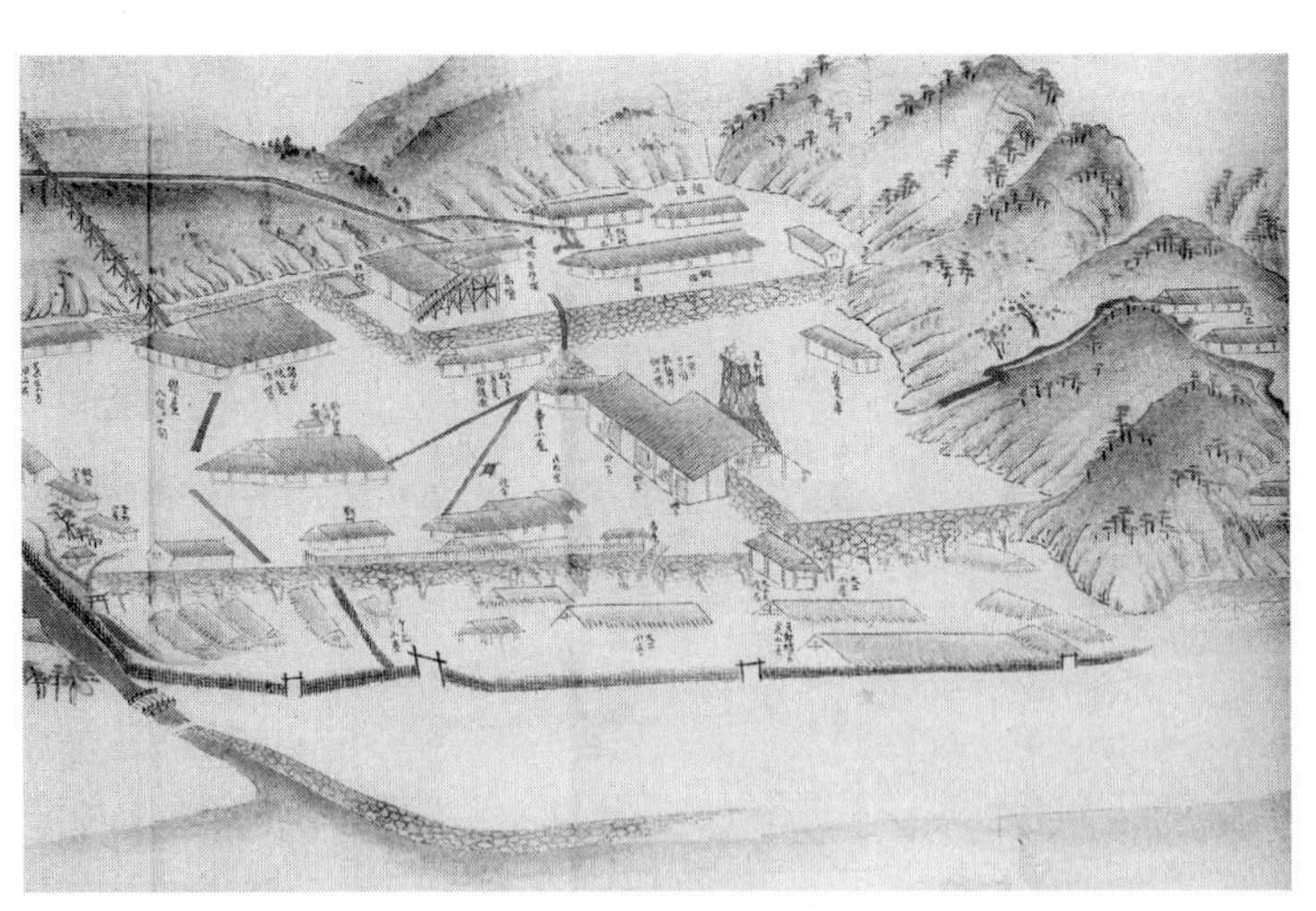

「薩州鹿児島見取絵図」【前編九-2-2】のうち「〔磯別邸の図・華倉打銅吹試方図〕」より「集成館部分」（武雄鍋島家資料　武雄市蔵）

が残されており、路盤工を施したことが確認できる。水路は吉野台地の縁に沿って約七キロメートルを経て集成館のある磯地区の背後の裏山まで伸びており、途中トンネルが一八か所も存在していることからも、一大事業であったことが推測される。疎水の端部にあたる磯の裏山には貯水池が設けられ、そこから水路・懸樋で集成館まで一気に落とされ、工場群の動力や用水に利用された。

安政四年（一八五七）に鹿児島を訪れた佐賀藩の千住大之助らによって作成された「薩州鹿児島見取絵図」にも、溶鉱炉に水を引いた水路や懸樋がはっきりと描かれている。

なお、七キロに及ぶ疎水溝全体が残っているわけではないが、関吉の取水口では岩盤をくりぬいた鑿の跡を確認することができ、疎水溝の一部は現在も吉野台地の灌漑用水として利用されている。

◉世界遺産としての価値

初期集成館における主動力の水車を稼働させる安定した用水の確保というのは極めて重要な問題であり、関吉の疎水溝は集成館の産業システムの重要な役割を担っていると位置付けられる。

関吉の疎水溝を考えるとき、まず注目されるのが測量技術・土木技術のレベルの高さである。関吉の取水口の海抜高度は一三二メートルであるのに対して、集成館の裏山付近は一二四メートルであり、七キロメートルに及ぶ疎水溝の高度差は八メートルしかないのである。この緩やかな傾斜角度こそ、当時の技術の高さを示している。工事に携わった技術者たちは、吉野台地における地形と土壌を熟知した上で、溶結凝灰岩の分布に沿ってルートを定め、容易に掘削が可能なシラス土壌にトンネルを設定したのである。

薩摩藩の測量技術の水準を語る際、幕府が各藩に作成・提出を命じた国絵図(くにえず)の精巧さが挙げられる。他藩が作成した国絵図に比べ、薩摩藩の作成した薩摩国、大隅国、琉球国の国絵図は現在の地図と変わらないくらい正確な形をしている。

土木技術については、領内の天降川(あもりがわ)などの川筋直しや木曽三川の宝暦治水工事に見られるように高度な治水技術を持っていた。こうした在来技術の積み重ねが集成館事業の基盤となり、ひいては明治日本の産業革命を支えていくことになった。

◉もっと深く知るために

「旧集成館」の同項目を参照。

(吉満庄司)

三重津海軍所跡（みえつかいぐんしょあと）

国内最古のドライドック、佐賀藩洋式海軍の拠点施設

三重津海軍所跡のドライドック遺構*（佐賀市提供）

◉歴史

　幕末の佐賀藩が近代化を成し遂げるその歴史は、鍋島直正（なべしまなおまさ）（一八一四～一八七一）が佐賀藩一〇代藩主に就任したことから始まる。直正は天保元年（一八三〇）に一七歳で藩主に就任すると、藩財政改革に着手する。およそ天保年間は、諸藩と同様に財政再建に力を注いだ時期であった。儒学者・古賀穀堂（こくどう）による献策をもとにしながら改革を断行し、直正政治の象徴として佐賀城本丸御殿の再建も行った。

　これは、享保一一年（一七二六）の火災で焼失していた本丸御殿をただ単に再建したわけではない。「請役所（うけやくしょ）」という藩政の中枢機関を本丸御殿内に取り込み、いわば〈お膝元〉で家老たちに政務を執り行わせることで、直正の政治色を出し、諸政策を推進する環境を整える意図があった。

　財政再建を順調に進める中、天保一一年（一八四〇）に衝撃的な事件が起こる。アヘン戦争である。産業革命を成し遂げ、アジアの植民地化に乗り出していた欧米列強。その一つであるイギリス

data

①〒840-2202 佐賀市川副町大字早津江津446-1 ②0952-34-9455（佐野常民と三重津海軍所跡の歴史館）③https://sano-mietsu-historymuseum.city.saga.lg.jp ④9時～17時 ⑤毎週月曜日（月曜が祝日、振替休日の場合、翌日）、12月29日～1月3日 ⑥無料 ⑦佐賀市 ⑧佐賀駅バスセンターから佐賀市営バス諸富・早津江線にて30分、佐野・三重津歴史館入口バス停下車、徒歩6分。長崎自動車道佐賀大和ICから車で40分。

に、アジアの大国・清が大敗したのである。江戸幕府から福岡藩とともに長崎警備を任されていた佐賀藩は、清の敗北という情報をいち早く入手し、欧米の脅威から長崎を、ひいては日本を守るために警備強化へと邁進していく。それは、欧米列強が持ちえた鉄製大砲・近代的海軍・蒸気船を佐賀藩でも持つことであった。

弘化元年（一八四四）五月に火術方を設置し、洋式銃等による西洋火術を本格導入し始めた。同年にはオランダから日本へ開国を勧告する国王ウィレムⅡ世の親書が届けられたが、使節軍艦パレンバン号が長崎停泊中に、直正は長崎奉行の許可を得て乗船している。蒸気機関の仕組みや舶砲などについて、自ら見聞して情報収集を行った。そして幕府と掛け合いながら、最終的には直正が佐賀藩一手に警備強化を行うと決断した。嘉永三年（一八五〇）、佐賀城下の築地（ついじ）に反射炉を設けて鉄製大砲の鋳造に着手。二年後の嘉永五年（一八五二）には成功している。築地反射炉の設置と鉄製大砲鋳造の成功は、日本初の事績であった。その後、嘉永六年（一八五三）のいわゆる〈黒船来航〉を受け、老中・阿部正弘は江戸湾警備のために品川台場へ備え付ける鉄製大砲の鋳造を佐賀藩に依頼した。この注文に応えるため、新たに設けられたのが多布施反射炉であった。アヘン戦争以降、佐賀藩がこうした歩みを進めることができたのは、直正の財政再建策が軌道に乗り、財源を確保できたからでもあった。

佐賀藩10代藩主鍋島直正
（「鍋島直正像」部分、佐賀県立佐賀城本丸歴史館蔵）

鉄製大砲の鋳造は実現をみた。次は蒸気船建造や近代的海軍の構築である。安政元年（一八五四）、直正は蒸気船建造を明言する。嘉永五年に設けられた藩の理化学研究所「精煉方」では、蒸気機関の研究を進め、蒸気船の雛形（模型）を製作するに至る。しかし、技術面や資金面で困難をきたし、蒸気船建造はすぐには実現せず、〈三重津海軍所〉の設置を待たなければならない。三重津という地には元来、佐賀藩船方の「御船屋」が設けられており、和船を保管する場所であった。そこが佐賀藩の近代的海軍の拠点となっていくのは、安政五年（一八五八）に「御船手稽古所」が設置され、翌六年に「海軍稽古場」を拡充してからのことである。幕府が設けた長崎海軍伝習所（長崎西奉行所に設置された、勝海舟をはじめとする幕臣や諸藩の藩士がオランダ士官から海軍伝習を受ける機関）で教練を受けた佐賀藩士により、航海術や船砲術等が教導され、藩がオランダから購入した蒸気軍艦・電流丸等を用いた独自の演習が展開された。文久元年（一八六一）には三重津に「製作場」を設けて、電流丸の交換用「蒸気罐」

（ボイラー）を精煉方御雇で〈からくり儀右衛門〉と称された田中久重父子に製造させている。更に、幕府から蒸気軍艦・千代田形のボイラー製造依頼があり、同じく田中父子を中心に製造させ、納品した。元治元年（一八六四）の幕府による褒賞では「蒸気鑵は御国に於いて初めて製造の事」（『水野忠精幕末老中日記』）と、佐賀藩が日本で初めてボイラー製造を成し遂げた旨が明記されている。

　こうした流れの中で、蒸気船の建造が評議される。佐野常民や田中父子などが担当することになり、慶応元年（一八六五）一〇月、ついに日本初の実用蒸気船・凌風丸は完成した。三重津において建造された唯一の蒸気船であった。直正は文久元年に隠居しているが、家督を継いだ息子・鍋島直大の意向もあり、佐賀藩海軍の近代化を主導し続けた。そのことが実を結び具体化した場所が、三重津海軍所であった。

◉世界遺産としての価値

「明治日本の産業革命遺産　製鉄・製鋼、造船、石炭産業」において、三重津海軍所跡は、近代的造船業の礎になったことを示す構成資産として位置付けられている。その主な評価点は、①国内最古の乾船渠（ドライドック）、②西洋技術と在来技術の融合、という二つにまとめられる。

　①について、三重津海軍所跡の発掘調査で、洋式船を修理するドライドックの木組護岸遺構が確認された。ドライドックとは、洋式船の修理や建造を作業場に張った水の水位調節により行う施設である。三重津海軍所跡のドライドックは、幕末期に使用されたものとしては現存する唯一のものであり、最初からドックとして構築されたものでは国内最古である。さらに、西洋式のドックは石やレンガ等を組んで造られるのが一般的であったため、木造ドックは三重津海軍所跡の

もの以外に類例がない。こうした理由により、三重津海軍所跡におけるドライドックの木造護岸遺構は、幕末日本の造船施設の構造を知ることができる貴重なものとして、高く評価されるに至った。

②については、佐賀藩が集積した西洋に関する知識や技術を、日本独自の技術により具体化した、ということである。三重津海軍所跡のドライドックについては、石やレンガを用いて造られる西洋式のものに対して、木で骨格を組み、その上に土をかぶせて構築されている。西洋式ドックに関する知識をもとに、在来の土木技術を活用して佐賀藩独自のものを造り上げた。また、三重津において成し遂げられたボイラー製造や蒸気船建造についても、直正を筆頭に佐賀藩が総力を挙げて集積、研究した西洋の科学技術を具体化するため、船大工や刀鍛冶等の職人をも取り込むかたちで在来技術を用いながら成功させた。こうした西洋技術と在来技術を融合させた「自力による日本の近代化」である点に、価値が置かれている。

地下遺構であるドライドックは現在、埋め戻して現地保存されているため見ることができない。そこで佐賀市は、〈見えない三重津〉を〈見える化〉するという方針のもと、遺跡とガイダンス施設の一体整備に取り組み、令和三年九月、三重津海軍所跡に隣接する佐賀市佐野常民記念館を「佐野常民と三重津海軍所跡の歴史館」としてリニューアルした。ドライドック木組遺構の一部を再現した原寸大模型や、それと連動した大型スクリーンでドックの運用が体感できる映像は迫力がある。また、アプリによるガイドシステムの導入により、再現CGなどを通じて〈当時の〉三重津海軍所を実感できる。

◉もっと深く知るために

三重津海軍所が成立した背景を考えると、①世界史的背景、②日本史的背景、③地理的背景の三つの観点から説明することができる。

①については、鍋島直正に近代化政策を推進させた要因として、欧米列強の産業革命とアヘン戦争を挙げるこ

とができる。イギリスを中心とした欧米列強が産業革命を成し遂げると、蒸気船に鉄製大砲を積んでアジアへ進出するようになる。アヘン戦争における清国の敗北は一つの典型であった。長崎警備を担っていた佐賀藩は、その強化へと歩を進め、欧米列強と同等な軍備を目指す。その結果、反射炉建造による鉄製大砲の鋳造、三重津海軍所の創設、蒸気船・凌風丸の建造を成し遂げたのである。幕府から長崎警備を担わされていたことで、アヘン戦争を機に警備強化へ邁進した点が、②である。

③については、三重津海軍所のドライドックは、有明海特有の大きな干満差を利用することで機能する施設であることだ。満潮時に船をドックへ入れると、干潮時には自然排水される。そして、再びの満潮時には海水をせき止めておけば、作業ができるという仕組みである。また、木と土でドックが構築されたことにも理由がある。有明海沿岸の軟弱地盤という弱点を克服するために、木組みで階段状の構造をしたものになったと考えられている。有明海の地理的特徴を活かした、あるいはその弱点を克服した、佐賀ならではのドライドックであった。

以上のとおり、三重津海軍所跡は地理・歴史、あるいは物理・化学などの教科においても扱うことができ、かつ、分野横断的な議論を可能とするテーマであると言えよう。佐賀県においては、学校教育での「さがを誇りに思う教育の推進」を掲げて、小・中・高の発達段階に応じた郷土学習が展開されている。その補助教材として、例えば佐賀市教育委員会では小学生向け、県教育委員会では中学生・高校生向けの郷土学習資料（副読本）をそれぞれ刊行した。高校生向けの『佐賀語り』では、「幕末の雄藩佐賀藩と三重津海軍所――他藩に先駆けた近代化事業」という項を設けて、三重津海軍所の歴史や世界遺産についての理解を促している。

（藤井祐介）

参考文献

・「幕末佐賀藩の科学技術」編集委員会編『幕末佐賀藩の科学技術　上・長崎警備強化と反射炉の構築／下・洋学摂取と科学技術の発展』（岩田書院、二〇一六年）

旧グラバー住宅*
（新木武志撮影）

長崎県

旧グラバー住宅（きゅうじゅうたく）

長崎港を見下ろす丘に建つグラバーの住宅

◉歴史

長崎港を見下ろす丘に建つ旧グラバー住宅は、イギリスのスコットランドで生まれ、長崎でグラバー商会を設立したトーマス・B・グラバーの住居として一八六三年（文久三）に建てられた（ブライアン・バークガフニによれば、ユネスコへの英語での登録はFormer Glover House and Office「旧グラバー住宅と事務所」となっているが、今のところ事務所として使われた証拠は見つかっていないとされる）。建設したのは、天草出身の大工で大浦天主堂も手がけた小山秀之進（こやまひでのしん）と推定され、建設当時は、L字型であったが、増築を重ね、現在のクローバー型となった。この西洋の建築様式を取り入れた建物は、現在、現存する日本最古の木造洋風建築として重要文化財に指定されている。

ただし、このような建物はヨーロッパには見あたらないという。旧グラバー住宅をはじめとする幕末から明治前半期に建てられた洋館は、家のまわりにひさしが張り出し、ひさしの下にヴェランダと呼ばれる空間が広がるという特徴を

data

①〒850-0931長崎県長崎市南山手町8-1②095-822-8223③https://glover-garden.jp④無休8時～18時、GW・夏季・冬季の夜間開園あり⑥大人620円、高校生310円、小中学生180円⑦グラバー園は、長崎市の指定管理者制度によって、長崎市が選定した指定管理者によって管理・運営されている。現在は長崎南山手グラバーパートナーズ⑧JR長崎駅前から路面電車（崇福寺行乗車、新地中華街で下車し石橋行に乗換え、大浦天主堂下車：約20分）、徒歩7分。

もっている。このヴェランダコロニアルと呼ばれる建築様式は、イギリスの冒険商人たちが、熱帯地方に進出するなかで、暑さへの対策として日差しをさえぎり、快適に暮らす方法として採り入れたもので、この様式の建物が最初につくられたのは、インドと考えられている。それが、東南アジアを経て香港、上海といった開港場を起点に北上し、幕末の長崎に上陸したという。

グラバー商会の倒産後、グラバーは住宅の所有権を手放したが、やがてグラバーの息子の倉場富三郎（母親は日本人、二三歳のときに日本戸籍を取得）が住宅の所有者となり、妻のワカ（父親はイギリス人商人で母親は日本人）と暮らした。しかし、富三郎は一九三九年（昭和一四）に住宅を三菱に売却し、丘の下に移り住んだ。その前年に長崎造船所で戦艦武蔵の建造がはじまっており、造船所を見下ろす高台に住むことが許されなかったためと推測されている。その後も富三郎ら欧米系の住民は憲兵隊の監視対象となり、その心労もあってか、富三郎は戦争終結から間もなくして自ら命を絶った（自死の理由については諸説あり、はっきりしていない）。

三菱は、富三郎から買収後、住宅を造船所の職員クラブとして使用していたが、戦後は占領軍のアメリカ軍将校宿舎として接収され、青ペンキで塗りつぶされた。当時の占領軍の軍人たちからは、長崎を舞台としたプッチーニのオペラ「マダム・バタフライ」にちなんで「蝶々夫人の家」と呼ばれていたという。そして、一九五〇年（昭和二五）に住宅が三菱に返還されると、三菱の社員クラブとして利用されるが、その庭園は開放され、同年に長崎市が設定した観光コースに「お蝶夫人ゆかりの庭」として組み込まれた。

一九五七年（昭和三二）に、三菱が長崎造船所の創業一〇〇年の記念事業の一つとして、住宅と庭園を長崎市に寄贈すると、長崎市は翌年から一般公開を開始した。一九六一年（昭和三六）に「旧グラバー住宅」として国の重要文化財に指定されると、長崎市はその一角にグラバーの胸像を建て、日本の近代化に大きな役割を果たしたと、その業績をたたえるようになった。そして、一九七四年（昭和四九）には、旧リンガー住宅・旧オルト住宅と長崎市内から移築した六棟とともにグラバー園としてオープンし、現在は長崎を代表する観光地となっている。

◉世界遺産としての価値

グラバーは、船舶や武器、機械、お茶などの取引とともに、薩摩藩や長州藩の藩士らのイギリス留学を仲介するなどした。その留学生の多くは、明治期の日本の政界や経済界で活躍し、日本の近代化を担った。また、グラバーは、長崎の小菅修船場や高島炭鉱の開発のためにイギリスから機器を輸入し、技術者を招き、蒸気機関などの工業技術を導入したが、そこでは多くの日本人が作業に従事した。そのグラバーが導入した機器や技術、そしてそこでの日本人の経験は、その後、日本各地に伝えられて、引き継がれていった。

旧グラバー住宅は、このようなグラバーの活動が開始された時期に建てられ、西洋の建築様式を取り入れながら日本の伝統的な建築技術で建築された。その後、修築をくり返しているが、現在も建築当時の環境が維持されている。さらに、長崎港の船舶の往来や長崎製鉄所が見渡せる当時の景観も保持されていることから、旧グラバー住宅は、日本に近代工業技術が移入されていく、そのはじまりを証言する貴重な場所であると評価されている。

◉もっと深く知るために

長崎県教育委員会が県内の中学生に配布している『ふるさと長崎県』のなかで、グラバーは「これからの日本に必要なことは、政治や産業の近代化をすすめることだと思い」、日本の近代化に貢献した人物であり、旧グラバー住宅は、「日本最古の木造洋館として国の重要文化財」と紹介されている。

ただし、旧グラバー住宅を特徴づけるインドで誕生したヴェランダコロニアル建築様式は、香港、上海を経て幕末の長崎に伝えられたもので、また、グラバー自身もイギリスからまず上海に渡り、その後長崎にやって来た。旧グラバー住宅やグラバーの活動は、上海（中国）と深く結びついていたのである。

上海は、長江の河口に位置し、長江流域と中国大陸沿岸を結ぶ要衝で、アヘン戦争後の南京条約による開港後、イギリスなどの租界（居留地）が設けられた。そこには、欧米の商社や銀行が進出するとともに、機械設備や近代技術を導入した欧米の蒸気船会社や船舶修理工場なども設立され、定期航路が上海と中国各地の開港場を結んでいった。

さらに、一八五九年（安政六）に長崎が開港場となると、同年にイギリスのP&O社（ペニンシュラ・アンド・オリエンタル・スチーム・ナビゲーション・カンパニー）が長崎—上海の定期航路を開設するなど、上海を中心とする定期航路網は拡大を続けた。その結果、上海は一九世紀のアジアの市場の情報と交通・交易の中心となっていた。この上海を中心として形成されたネットワークは、上海ネットワークと呼ばれている。

　グラバーが上海から長崎へ渡るために乗船したのは、このP&O社の上海―長崎の定期航路の第一便であったという。長崎到着後のグラバーは、ジャーディン・マセソン商会（以下JM商会）が長崎においた代理人のもとで商会事務員として勤務し、その後同商会の代表権を引き継ぎ、一八六二年（文久二）にグラバー商会を設立した。

　JM商会とは、グラバーと同じスコットランド出身の貿易商人のウィリアム・ジャーディンとジェームス・マセソンが中国の広州で設立した商社である。広州ではインド産のアヘン取り扱い、アヘン戦争の勃発に深くかかわり、南京条約によって上海など五港が開港され、香港がイギリス領となった後、香港と上海に進出していた。このJM商会からの融資を受けながら、グラバー商会は日本茶の輸出などを行ったが、なかでも大きな利益をあげたのは武器や艦船の取引であった。そのため、グラバーには「死の商人」という評価もつきまとっている。

　グラバーが取り引きした艦船や武器の多くは、上海などの中国各地の開港場に大量に出回っていたもので、アメリカの南北戦争終了後（一八六四年）に不要となり軍艦から改装された商船や銃器であった。ただし、グラバーは、武器についての詳細な知識も特定の武器輸入ルートも持っていなかったため、上海に支店を置いてJM商会からの融資を受けて上海で買い付けたり、JM商会から委託されたものを薩摩や長州などの西南雄藩や幕府に販売していた。また、一八六五年（慶応元）に薩摩藩は五代友厚（ごだいともあつ）や寺島宗則（てらしまむねのり）、森有礼（もりありのり）らを留学生としてイギリスに派遣するが、このときグラバーは留学生らをグラバー商会所有の船に乗せて密出国させて香港に送った（その後P&O社の船に乗り換えた）。さらに、一行が振り出す手形をロンドンのJM商会が買い取り、それを長崎で薩摩藩が支払う手はずをととのえるなどの便宜をはかっている。このように、グラバーは、上海・香港に進出していたJM商会と結びつき、上海を中心としたネットワークに支えられて長崎で活動していたのである。

一方、上海は、アヘン戦争後、中国でのプロテスタント宣教師の活動拠点ともなっていたが、宣教師たちの多くは、伝道活動とともに、欧米学者の著書を中国語に翻訳していた。そのため、上海はさまざまな西洋知識を中国に紹介する拠点ともなっていた。さらに、清朝が洋務運動のなかで上海に創設した工場である江南製造局には、翻訳館も置かれ、西洋の科学技術書の翻訳事業が行われた。こうして急速に西洋情報の発信地として発展していた上海と長崎を結ぶルートは、中国で出版された漢訳洋書の流入ルートともなった。そうして日本に持ち込まれた漢訳洋書は、写本や翻刻などで流通し、幕末から明治にかけて、西洋の知識を日本に広めることになった。

以上のように、旧グラバー住宅やグラバーの活動は、中国（なかでも上海）に進出した欧米列強と、そのもとで近代化を模索した中国の動向が深く関わっていた。明治日本の産業革命遺産は、非西洋地域のなかで日本が初めて、短期間のうちに産業化に成功したことを示す遺産群と評価されているが、その成功は日本と西洋との関係だけで達成されたものではなかったのである。そのため、日本の近代化について考えるためには、日本と西洋との関係とともに、東アジアの歴史からの視点が必要である。グラバーが暮らした旧グラバー住宅は、そのためにも重要な場所といえる。

（新木武志）

参考文献

・杉山伸也『明治維新とイギリス商人――トマス・グラバーの生涯』（岩波書店、一九九三年）
・藤森照信『日本の近代建築』（岩波書店、一九九三年）
・ブライアン・バークガフニ『長崎偉人伝 トーマス・B・グラバー』（長崎文献社、二〇二〇年）
・古田和子『上海ネットワークと近代東アジア』（東京大学出版会、二〇〇〇年）
・劉建輝『日中二百年――支え合う近代』（武田ランダムハウスジャパン、二〇一二年）

小菅修船場跡*
（新木武志撮影）

長崎県

小菅修船場跡（こすげしゅうせんばあと）

薩摩藩とグラバーが建設した日本初の近代的ドック

◉歴史

一八六五年（慶応元）七月に、長崎の商人名義の「船渠建築ニ関スル願書」が長崎奉行に提出された。この船渠（ドック）建設計画の立案者は、薩摩藩家老の小松帯刀（こまつたてわき）と藩士の五代友厚（ごだいともあつ）であったが、薩摩藩の名義では幕府の許可をえることができないため、願書は藩の御用商人の名義で提出されたのである。この後、薩摩藩は鴻池（こうのいけ）ら大坂商人からの三万両の融資と長崎奉行の許可を受け、一八六六年（慶応二）中に、長崎港の小菅の入り江を利用し、修理船を台車に乗せ、蒸気機関を利用して海面から曳き揚げるスリップ・ドックという方式のドックの建設を開始した。工事を監督したのは、長崎の地役人の岩瀬公圃（いわせこうぼ）で、古くから交友関係があった五代から、工事の管理を委託されていた。

工事は、まず入り江に汐留の土のうを積んで海水をせき止め、その後排水した斜面を整地していった。そして、トーマス・B・グラバーがイギリスのホール・ラッセル社に発注して製造させたレールや曳揚げ機、ボイラーなどを設置した後、汐留

data

①〒850-0934長崎県長崎市小菅町5②095-828-4134（長崎造船所史料館）③http://www.city.nagasaki.lg.jp/nagazine/shutter/180501/index.html④野外施設なので常時見学できる（曳揚げ小屋内部は非公開）⑥無料⑦三菱重工長崎造船所⑧JR長崎駅前から長崎バス（長崎駅前南口または長崎駅前東口バス停で30系統、40系統のバスに乗車、小菅町下車：15分）、徒歩5分⑨駐車場なし

の土のうを切り崩して海水を入れ、一八六八年(明治元)一二月に完成した。
　このように、この事業は、薩摩藩が企画や場所の選定、建設資金の手配を行っており、少なくとも工事の中途までは薩摩藩単独の事業であった。当初、グラバー商会は、プラント輸入・販売委託にとどまる関係だったと見られている。最終的には、薩摩藩が資金難におちいったため、グラバーの申し出で、ドックは、小松帯刀とアバディーン(イギリス)のグラバー兄弟会社、そしてグラバーの三者による共同経営となり、完成した時にはグラバーが経営権をほぼにぎることになった。
　完成後は、レールに並ぶ台車が、そろばんの玉の列のように見えることから「そろばんドック」と呼ばれた。長さは三三・五メートル、幅八メートルで、最大一〇〇〇トンまでの船の曳き揚げが可能だった。その後、周囲には、造船小屋、製図室、大工小屋、材木小屋、人足小屋、鋳物場など船舶の修理や製造のための施設も建設されていった。

ただし、グラバーも資金繰りが苦しくなっていたため、施設は一八六九年（明治二）三月に一二万ドルで明治政府に売却され、長崎製鉄所（のちの長崎造船所）の附属工場となった。その後、三菱に長崎造船所が払い下げられるとともに、小菅修船場も三菱所有となり、三菱が対岸の立神に大型のドックを建設すると、小型船の修理や製造に使われるようになった。一九二〇年（大正九）にはいったん閉鎖され、一九三三年（昭和八）に戸町トンネル開通にともなう道路拡幅によって、曳揚げ小屋の北東の角が削られた。

一九三六年（昭和一一）には、当時高まっていた明治天皇聖蹟保存運動のなかで「明治天皇行幸所小菅修船場阯」として史跡に指定された（明治天皇は一八七二年に小菅修船場を視察、一九四八年に指定解除）。日本が戦時体制に入った翌三七年に操業を再開し、軍用舟艇や魚雷艇などを建造・修理するようになり、一九四五年（昭和二〇）七月に空襲を受けたが、史跡地部分の被害はなかった。戦後は漁船や海上保安庁の巡視艇の建造や修理などを行っていたが、一九五三年（昭和二八）に閉鎖され、一九六九年（昭和四四）に水面を含む曳揚げ小屋、船台、護岸が国指定の史跡となった。

◉世界遺産としての価値

小菅修船場によって、日本でも蒸気船を水面から曳き揚げて修理できるようになった。そのための曳揚げ小屋は、オランダ海軍将校のヘンドリック・ハルデスが長崎製鉄所の建築資材とするために、瓦職人を指導して生産をはじめた「コンニャクレンガ」と呼ばれる薄いレンガを使用した、現存する日本最古のレンガ造建築である。内部に設置されている蒸気機関と曳揚げ装置、曳揚げ装置からのびる歯溝のついた中央レールとその両側に一部露出しているレールは、創立当時のものである（ボイラーは一九〇一年に取り替えられた）。さらに、護岸の石積や製図場などがあった敷地に登る石段も、ほぼ当時のまま保存されている。これらは、幕末から明治後期にかけて西洋の技術を移入し、重工業の基幹産業である造船業分野が発達していく始まりについて証言する貴重な遺跡とされる。

さらに、小菅修船場の建設は、企画から場所の選定、工事まで、薩摩藩の主導で進められた。これは、西洋の技術を導入しながら進められた工業化が、その技術の移入だけでなく、日本の技術と融合させることで進められたことを示している。

◉もっと深く知るために

小菅修船場が、なぜ長崎港に必要であり、どのような役割を果たしたのかを考えてみよう。

一八四〇年代以降、蒸気船による欧米汽船会社の定期航路網が世界の海を結びつけはじめたが、当時の蒸気船のボイラーは燃料の石炭を大量に必要とするうえ二、三年で破損し、取り替えが必要だった。また、船体の耐用年数もせいぜい八～一〇年程度で、一航海ごとに何ヵ所か補修しなければならなかったという。そのため、蒸気船の航路網を維持するには、寄港地に石炭を貯蔵し、蒸気機関や船体の修理のためのドックや工場を建設する必要があった。

そこで、アヘン戦争後の一八四三年に開港した上海には、欧米の蒸気船会社や蒸気船建設修理工場などが設立され、世界各地から大量の石炭が輸入された。こうして、上海は中国各地の開港場を結ぶ定期航路の起点となっていき、一八五〇年代後半には中国資本による造船所も設立された。

さらに、一八五九年（安政六）に長崎が開港場となると、同年にイギリスのP＆O社が長崎—上海の定期航路を開設するなど、定期航路網は拡大を続けた。こうして上海は、「上海ネットワーク」と呼ばれる、一九世紀の東アジアの市場の情報と交通・交易のネットワークの中心となっていった。

それにともなって、上海ネットワークに組み込まれた長崎でもドックの建設が緊急の課題となった。薩摩藩がドック建設のために、大坂鴻池家に資金調達を依頼した文書には次のように記されている。

> 薩摩藩は軍艦、蒸気船、帆走船の都合一一隻を所有しているが、船の修理や船底のカキ落としをする場所が必要なのに、日本にはこれがなく、中国の上海にある。この場所を借りると過分な費用がかかる［…］長崎につくれば、我がためのみならず、日本に来る外国船はもちろん、世界を航海する外国船にとっても便利なので、［…］年をおって利益をあげるようになる

薩摩藩は、ドック建設によって、所有する船舶の修理・整備と外国船の修理でえられる収益を期待していたのである。さらに、この依頼文書では、グラバーがドック建設の費用のすべてを出したいと願いでているが、そうすると「将来、その場所は外国人が領地のように考えて、思うままにするのは必定なので、ぜひとも自力で建設したい」と、外国資本を排除する方針も示している。

一方グラバーは、幕末の混乱のなかで艦船や武器などの販売によって経営を拡大するなかで薩摩藩との関係を深め、小菅修船場の経営権をほぼ握ることに成功した。修船場が完成した一八六八年（明治元）には神戸と大坂の開港や、新政府と戦っていた東北諸藩の降伏によって長崎での武器取引は縮小し、グラバー商会の経営は悪化していった。さらに、一八七〇年（明治三）にアメリカのＰＭ社（パシフィック・メイル・スチームシップ・カンパニー）が横浜―神戸―長崎―上海航路を開設すると、長崎の商社が神戸、横浜に移っていき、長崎貿易はさらに縮小していく。このようななかでグラバーは、小菅修船場の経営や高島炭鉱の開発にのりだすことで、上海ネットワークを利用した投機的な貿易商人からネットワークを支える企業家に転身を図ったのである。結局、グラバーは経営難から小菅修船場を手放さざるを得なくなり、転身は失敗するが、小菅修船場は明治政府が買収し長崎製鉄所の附属工場となった。

その後、対岸に長さ一四〇メートルの立神第一船

渠が建設され、その運用が始まると（一八七九年七月）、五〇〇トン程度以下の船は小菅修船場で補修し、それ以上の船舶は立神第一船渠を使用するようになった。この時期の小菅修船場と立神第一船渠の修理船数と新造船数は表1の通り。

この表から、ドックの利用は年々増加しており、その約三割を外国船が占めていることがわかる。長崎港は、貿易港としての地位は低下させていったが、小菅や立神のドックによって、上海ネットワークを支える重要な港であり続けた。一八七六年（明治九）以降に、長崎と朝鮮の開港場を結ぶ定期航路が開設され、上海ネットワークが朝鮮半島まで拡大すると、長崎と朝鮮の開港地を結ぶ貿易が盛んになるが、輸出品の大部分は、上海から長崎に輸入されたイギリス製綿布であった。

小菅修船場が導入した近代技術は、日本の近代造船業の基礎となったと評価されるが、東アジアの歴史からは、蒸気船による定期航路網が世界に拡大していくとともに、東アジアに形成された上海ネットワークを支えていたという歴史が見えてくる。（新木武志）

表1　小菅修船場と立神第一船渠の修理船数と新造船数

		立神	小菅
1878/7～1879/6 (　)は外国船	修理		17(3)
	新造		
1879/7～1880/6	修理	15(5)	11(4)
	新造		2
1880/7～1881/6	修理	31(9)	8(3)
	新造		1
1881/7～1882/6	修理	24(12)	13(4)
	新造		4

三菱造船株式会社長崎造船所職工課編・発行『三菱長崎造船所史』(1928年)より作成

参考文献

・楠本寿一『長崎製鉄所——日本近代工業の創始』（中央公論社、一九九二年）
・秀村選三編『薩摩藩の構造と展開』（西日本文化協会、一九七六年）
・福岡ユネスコ協会編『日本近代化と九州』（平凡社、一九七二年）
・水田丞「パテントスリップとしてみた小菅修船場の研究（第一報）操業当初期の施設配置と設備の仕様について」（『産業考古学』一三九号、二〇一一年）

高島炭坑*
（長崎市世界遺産室提供）

長崎県

高島炭鉱

日本で初めて蒸気機関を導入した近代石炭産業の原点

◉歴史

高島は長崎港から南西に一四・五キロの海上に位置しており、その海底には西彼杵（にしそのぎ）海底炭田が広がっている。江戸時代は深堀鍋島家（佐賀藩家老）の所領で、伝承では一八世紀初めごろに石炭が発見され、採炭がはじまったとされる。当時は、石炭は鍛冶用の燃料などとともに、一七世紀末頃から瀬戸内の塩田の燃料として需要があった。一八世紀後半になると、佐賀藩は財政収入を増やすために石炭を藩の管理下におくようになり、一九世紀初めには高島炭鉱を藩有とした。そして、一九世紀後半に長崎が開港し、蒸気船の燃料として石炭需要が増大すると、佐賀藩は領内の炭鉱開発に積極的になるが、開発資金も石炭の販路も欠いていた。

そのようななかで高島炭鉱の本格的な開発について合弁をもちかけたのが、佐賀藩が購入した蒸気船や銃器の代金を立てかえていたグラバー商会であった。両者は交渉を重ねた結果、一八六八年（慶応四）に、グラバー商会が開発資金の調達と石炭の販売

data
①〒851-1315長崎県長崎市高島町99-1②095-829-1193（文化観光部 文化財課）③http://www.kanko-takashima.com/heritage_prologue/takashima/④屋外施設なので常時見学できる⑥無料⑦長崎市⑧長崎港から野母商船の長崎—伊王島—高島航路の高速船に乗船し高島港て下船（約35分）。高島港より徒歩30分。または島内循環バス、高島港ターミナルで乗車し、本町で下車、徒歩1分。

も行い、売上高から鉱山採掘料を佐賀藩に支払い、その他経費を差し引いたうえで、利益は折半するという契約を締結した。

こうして高島炭鉱は、佐賀藩とグラバー商会の共同経営で開発されることになり、イギリス人技師モーリスを雇い入れ、高島の北部に竪坑を掘り始めた。一年後に深さ四四メートルのところで、厚さ二四メートルの炭層を掘りあてると、この竪坑は北渓井坑と名づけられ、蒸気機関による巻き上げ機が設置された。これによって石炭は地上に運びだされた後、海岸まで引かれたトロッコ用の鉄路で運搬され、船着き場で船に積みかえて移送された。さらに、坑内には蒸気ポンプによる排水設備が設置された。こうして高島炭鉱は、日本ではじめての洋式炭坑として操業を開始した。

ただし、グラバー商会は、明治政府が成立して武器の在庫を大量にかかえたうえ、高島炭鉱開発などのために債務を重ね、一八七〇年（明治三）に倒産してしまう。その後、高島炭鉱は、グラバーの債務を肩代わりしたオランダ貿易会社の管理下に置かれたが、日本坑法（一八七三年）によって外国人の鉱山経営への関与を禁止した明治政府は、オランダ貿易会社に洋銀四〇万ドルを支払い、高島炭鉱を官営化した（一八七四年一月）。

さらに高島炭鉱は、蓬莱社（ほうらいしゃ）を設立していた後藤象二郎に払い下げられたが、経営が行き詰まったため、一八八一年（明治一四）に三菱の岩崎弥太郎が引き取り、トーマス・グラバーを再雇用して経営を委ねた。この後、三菱のもとで高島やその周辺の島嶼部の炭坑開発が進められていった（北渓井坑は、坑道に地下水が浸入し一八七六年に廃坑となる）。

採掘された石炭は、上海や香港などへ輸出されたが、明治の後半期には、高島炭から製造されたコークスが八幡製鐵所に供給され、日本の製鉄業を支えていった。

それとともに、高島炭鉱では、採炭や坑道の掘進、石炭の搬出・運搬などの技術の改良によって、採炭能率を向上させ、出炭量を増大させていった。ただし、その一方で、炭鉱労働者の劣悪な労働環境は、しばしば問題になった。一八八〇年代後半には「高島炭鉱問題」としてさかんに報道され、明治前期最大の労働問題となり、一九三〇年代末からの戦時体制下には、朝鮮半島や中国から労働者が大量に動員された。

アジア太平洋戦争末期の一九四五年（昭和二〇）七月末と八月初めのアメリカ軍による爆撃で、発電所や事務所、工場に被害を受け、死傷者も出したが、四ヶ月後には出炭を再開した。その後、政府が経済復興のために傾斜生産方式によっての石炭の増産を進めるなかで、高島炭鉱も出炭量を年々増大させていき、一九六五年（昭和四〇）の出炭量は一二七万トンとピークを迎えた。島の人口も最盛期に一万八〇〇〇人を超え、高層住宅も林立していたが、一九六〇年代以降、石炭から石油へのエネルギー転換が進むなかで、石炭産業は縮小していき、高島炭鉱は一九八六年（昭和六一）一一月に閉山した。

◉世界遺産としての価値

日本で初めて蒸気機関を導入した高島炭鉱の北渓井坑は、現在も坑口が残っており、発掘調査によって竪坑周辺には、大量のレンガや蒸気機関の痕跡とみられる遺構が地中に残されていることが確認されている。そのため、近代的炭坑技術の初期の姿を伝える代表的な遺跡として、世界遺産に登録されている。

北渓井坑で最初に設置された蒸気機関は、竪坑部分の石炭の運搬と坑内の排水に使用されただけのきわめて部分的なもので、坑底の横坑や坑外の運搬・通風は旧来の技術が用いられていたという指摘もある。しかし、その石炭生産技術は、高島やその周辺の島々での炭鉱開発に用いられ、さらに筑豊や三池などの炭鉱などに広まっていった。そのため、高島炭鉱は、日本で最初に西洋技術を導入して開発された日本の近代石炭産業の原点とも位置付けられている。

さらに、高島炭は良質で製鉄用コークスの原料として最適であったので、高島炭から製造されたコークスが八幡製鉄所に供給されたことで、日本の製鉄業の発展に貢献してきたことも評価されている。

◉もっと深く知るために

高島炭鉱閉山後、一九八八年（昭和六三）に三菱高島炭砿労働組合の事務所であった建物に長崎市高島石炭資料館が開設された。ここでは、年表や写真、炭鉱で使用されていた機材などとともに、コンニャク煉瓦や北渓井坑跡の発掘出土品も展示されており、高島炭鉱での採掘の石炭歴史を伝えている。

ただし、この資料館をはじめとして高島炭鉱の紹介では、北渓井坑にはじまる開発とその後の石炭産業の隆盛から衰退の歴史が語られるが、高島炭鉱が開発された背景についてはあまり言及されることがない。そこで、幕末期になぜ、ばく大な資金を投入して炭鉱を開発する必要があったのかについて、その時代背景から見直してみたい。

当時は、蒸気船による定期航路網を拡大し、イギリスをはじめとする欧米列強は世界を市場として組み込んでいった。しかし、初期の蒸気船のボイラーは熱効率が悪く、遠洋航海では多量の石炭を必要としたが、積み込む貨物のスペースを確保するためには、積み込む石炭をできるだけ少なくする必要があった。そのため、世界に定期航路網を拡大する欧米列強の最重要の課題は石炭の確保であった。

アヘン戦争後、東アジア海域に蒸気船による定期航路網を拡大していたイギリスの汽船会社は、イギリス本国から帆船でアジアの寄港地に石炭を運搬して貯蔵し、その石炭を補給させていた。しかし、石炭の運搬には巨額の費用がかかったので、イギリスはアジアでの炭田の開発にも取り組んでいた。そのようななかで、一八五三年にクリミヤ戦争がおこり、イギリスの貨物船が戦争に動員されると、東アジア海域への石炭運搬が滞ったことから、日本の石炭への需要が高まり、九州北部の炭坑地域での採掘が活発化したという。

また、アメリカから派遣されたペリーが日本に開国をせまったのも、中国への太平洋横断航路や北太平洋で操業する捕鯨船のための石炭や水、食料を補給する寄港地の必要性からであった。そのため、ペリーは浦賀来航の前に、琉球王朝と通商条約を結び、那覇に貯炭所を設置していた。

そして一九世紀後半に日本が開国すると、開港場に外国の蒸気船が来航するようになり、また、幕府や諸藩も蒸気船を購入したため、石炭の需要は急増した。イギリス領事は、長崎と横浜が開港場となり、イギリスのp&O社による長崎―上海の定期航路が開設されると、幕府にドックの建設を申し出るとともに、鉱山技師を派遣して九州北部の石炭を調査したいと申し入れている（幕府はこの要求を拒否）。

その一方で、炭鉱の開発に乗りだしたのが佐賀藩であった。佐賀藩は、購入した蒸気船の燃料として、さらに蒸気船や武器を購入する財源とするために石炭に期待し、高島炭鉱の開発に乗りだしたのだった。これにグラバー商会が参画して開発された高島の石炭は、東アジア諸地域への輸送コストはイギリスやオーストラリアの石炭と比べて圧倒的に安く、船舶用石炭としてもたいへん優良であった。そのため、高島炭鉱の操業がはじまると、高島炭は長崎港に寄港した蒸気船に燃料として売却されるとともに、長崎で船に積み込まれ、上海や香港などに輸出されるようになった。

高島炭の輸出が本格化する前の一八六五年、東アジアの交易ネットワークの中心であった上海で販売された石炭は、五六パーセントはイギリス炭、三一パーセントがオーストラリア炭であった。それが、高島炭の輸出が本格化した一八七〇年代後半には、上海石炭市場の六〇パーセントが高島炭をはじめとする日本炭となった。

高島炭鉱は、東アジアに欧米列強の蒸気船による航路網が広がっていくなかで、小菅修船場とともに、上海ネットワークを支えたのである。その一方、高島炭鉱の経営は、明治政府によって外国資本が排除された後、三菱のもとで開発が進み、国内外に石炭が供給され続けた。

このような高島炭鉱の開発の背景をたどっていくことで、東アジアが欧米列強の市場に組み込まれていくなかで、列強を支えながら自立化をめざしていった近代日本の歴史を考えることができる。

（新木武志）

参考文献

・金光男「代日本の石炭政策——長崎開港から高島炭坑官収まで」（『茨城大学人文学部紀要 社会科学論集』五九号、二〇一五年）
・杉山伸也「幕末、明治初期における石炭輸出の動向と上海石炭市場」（『社会経済史学』第四三巻六号、一九七八年）
・長崎市教育委員会『史跡高島炭鉱跡保存管理計画書——高島北渓井坑跡・中ノ島炭坑跡・端島炭坑跡』（二〇一五年）
・三菱鉱業セメント株式会社高島炭砿史編纂委員会編『高島炭礦史』（三菱鉱業セメント、一九八九年）

端島
（新木武志撮影）

端島炭鉱（はしまたんこう）

日本の近代化の歴史を伝え、問いかける炭鉱の島

◉歴史

　三菱は高島炭鉱を買収後も、その周辺の島々を買収するなどして石炭の探索や開発を続けていたが、一八九〇年（明治二三）には高島から南西約二・五キロに位置する端島の権利を深堀鍋島家から買い取った。端島は一九世紀初めに石炭が発見され、明治期になってたびたび採炭事業が試みられており、一八八六年（明治一九）にはじめて竪坑の開削に成功していた。この後、三菱が端島を高島炭鉱の一部とし、その地下に広がる海底炭田の開発をすすめると、一八九七年（明治三〇）には、端島炭鉱の出炭量が高島炭鉱を上回った。そして、その良質な石炭は蒸気船の燃料として輸出される一方、コークス原料として八幡製鐵所に供給され、日本の近代化を支えた。

　それとともに、もともと南北三二〇メートル、東西一二〇メートルほどにすぎなかった端島では、周辺の埋め立て工事や防波堤工事がくり返され、一九〇七年（明治四〇）にはほぼ現況に近い形となった（現在は、南北約四八〇メートル、東西約一六〇メートル、周囲一・二キロ、面積約六・三ヘクタールで、高さ約一〇メートルのコンクリートの護岸に囲まれている）。

data

①〒851-1315長崎県長崎市高島町字端島②095-829-1260（長崎市文化観光部世界遺産室）③https://www.city.nagasaki.lg.jp/kanko/840000/843000/p030626.html⑥見学するためには、長崎市から許可を受けたクルーズ会社の軍艦島上陸ツアーに参加する必要がある（乗船料と施設使用料が必要）⑦長崎市

また、一九〇〇年（明治三三）には発電機が設置されて電気の使用がはじまり、その後、高島から海底ケーブルで電力が供給されるようになると、排水ポンプや巻上機などの設備も電化されていった。それとともに、第二竪坑は一九三四年（昭和九）に深さ六〇六メートルまで掘り下げられた（当時の日本最深）。こうして出炭実績をのばし続け、一九四一年（昭和一六）には約四一万トンを出炭し、石炭出炭量は最盛期を迎えた。

採炭事業の拡大とともに、島内の人口も増加していった。そこで、端島炭鉱を経営する三菱鉱山（三菱合資会社の鉱山部・炭坑部を継承して成立）は、一九一六年（大正五）に鉄筋コンクリート造り四階建てのアパートを建設した。これは日本初の鉄筋コンクリート造りの集合住宅とされる（後に増築し七階建てとなる）。その後も、九階建のアパート群や公共施設などが建設され、鉄筋コンクリート建築物が建ち並ぶようになり、この頃から端島は「軍艦島」と呼ばれるようになったとされる。

戦後は、労働組合が結成され、労働条件も向上し、三〇万トン前後を出炭し続けた。一九六〇年（昭和三五）の人口は約五三〇〇人、人口密度は東京の約九倍で、学校・商店・病院・寺院・映画館・理髪店・美容院・パチンコ屋などがあり、島が完結した都市を形成していた。しかし、一九六〇年代以降、石炭から石油へのエネルギー転換が進められたことで、一九七四年（昭和四九）一月に炭鉱は閉山した。その後、端島は無人島となったが、一九九〇年代には廃墟ブームのなかで注目を集めた。二〇〇一年（平成一三）、三菱鉱業を引き継いだ三菱マテリアルが端島を高島町に無償譲渡したが、高島町は二〇〇五年（平成一七）に長崎市に合併されたため、現在は長崎市が端島を管理している。

◉世界遺産としての価値

端島炭鉱は、三菱のもとで本格的に開発され、高品質の石炭を産出し、国内外の石炭需要をまかない、八幡製鐵所へも原料炭を供給したことが評価されている。そのため、明治期に造られた第三竪坑跡やレンガ造りの壁、周囲を取り囲む石積みの護岸の遺構などが世界遺産として登録されている。大正から昭和期に建設された炭鉱施設の大部分や住宅などは登録対象となっていないが、現存する日本最初の鉄筋コンクリート造アパートなどの構造物群は、建築史の観点から注目されている。

一方、「明治日本の産業革命遺産」の登録をめぐっては、事前に韓国と中国が、端島炭鉱・高島炭鉱などの施設で、日本が戦時中に中国や朝鮮半島から連行した人びとが強制労働させられたとして反対を表明した。これに対して日本政府は、登録を目指す施設は一九一〇年（明治四三）までの歴史が対象で、問題とされた一九四〇年代とは時代が異なると主張した。さらに、「強制労働」についても、国民徴用令にもとづいた戦時徴用で、当時は合法であったとして強制性を否定した。しかし、最終的には、日本側が、対象施設の説明に「強制労働」の歴史を盛り込むようにという韓国政府の要求を受けて、「労働を強いられた」人々がいたことを認め、「インフォメーションセンターの設置など、犠牲者を記憶にとどめるために適切な措置」をとると表明し、登録が決定した。

◉もっと深く知るために

二〇二〇年（令和二）三月、政府が設置を約束していた「産業遺産情報センター」が東京都内に開設された。ただし、そこでは端島の元島民による朝鮮人への差別はなかったとする証言が公開されていることなどから、ユネスコの世界遺産委員会は日本政府に対して「強い遺憾」を表明し、改善を求める決議案を全会一致で採択した。「明治日本の産業革命遺産」をめぐる「強制労働」の問題は、現在も決着していないのである。そのため、現在端島を管理している長崎市のなかでも、朝鮮半島からの労働力移入について対立する見解が示されている。

長崎市が刊行した『新長崎市史』では、端島について「明治以来、甘い言葉で炭鉱に連れてきて、暴力で働かせ、多くの死人も出た、という記録は多い。戦争中は朝鮮半島・中国からも連れてきて同じことをした」（第三巻、二〇一四年）と記されている。さらに高島についても、「第二時大戦中は徴用された朝鮮人の集団注入、さらに捕虜や中国人等を加え、多数が不十分な設備の中で過酷な坑内労働を強いられた。このため、「監獄島」から泳いで長崎（野母）半島を目指す「島抜け」もあったが溺死、成功しても山狩りで捕らえられることが多かったとされる」（第四巻、二〇一三年）と述べられている。

その一方で、長崎市総務局世界遺産推進室は、内閣官房の監修を受けて「明治日本の産業革命遺産（基本事項）」（二〇一六年三月）を作成し、同市の観光担当部署や軍艦島上陸ツアーの運営企業などに配布した。そのなかで「朝鮮半島出身の労働者」について、「昭和一九（一九四四）年九月から終戦までの期間、朝鮮半島出身者も徴用された。（…）炭鉱は落盤、出水など危険な職場であったが、現場では労働者として協力し、一緒に働いた」と説明している。そしてこの後に、「徴用という政策の性質上、一般論として意思に反して連れて来られた者もいたことは否定できない。なお、当時、端島で終戦を経験した住民の話によると、島民は、共に遊び、学び、そして共に働く、衣食住を共にした一つの炭鉱コミュニティであり、一つの家族のようであったといわれている。島は監獄島ではない」と付記している。

ただし、この対立する暴力的な管理や過酷な労働と助け合う炭鉱労働者の姿は、明治期からよく語られてきたことでもある。高島炭鉱について長崎の街では、「金でかためた　ガラバ（グラバー）さんの納屋も　ひとつ間違やみなごろし」という俗謡が流行したという。明治初期の炭鉱では、納屋頭（なやがしら）（採炭請負人）が配下の労働者を宿舎（納屋、関東以北では飯場）に収容して共同生活を送らせ、鉱山主から請け負った仕事を分担し、一括して受け取った賃金から、諸経費を差し引いて各労働者に支払っていた。これは納屋制度とよばれ、納屋頭は、農村の貧しい小作人らから労働者を集めていた。高島炭鉱の場合は、納屋頭がなかば誘拐的に労働者を募集し、納屋で逃亡を監視し、劣悪な労働環境のもとに置いたという。そうして各地から集められ、地の底で危険な採炭に従事させられた炭坑労働者たちが、ともに助け合ったのは当然であった。

三菱は、納屋制度が社会問題化すると、一八九七年（明治三〇）に高島・端島の納屋制度を廃止し、直接、炭鉱労働者を募集して労務管理を行うようになった。しかし、端島では昭和初期も、元の納屋頭が所属坑夫の入坑督促や稼働の監督を行い、会社から坑夫の稼高の数パーセントを受け取る世話方制度を併用しており、「坑夫の雇入異動防止などには特別の苦心を要する状態」（福岡地方職業紹介事務局）と報告されている。

さらに、日本が日中戦争からアジア太平洋戦争へと突き進むと石炭の需要は高まり続け、政府の要請を受けて増産体制を強化した炭鉱では、安全対策よりも出炭目標達成が優先され、暴力的な労務管理が強まっていった。それとともに、炭鉱労働者の不足が深刻な問題となり、朝鮮半島や中国からの労働者の移入も開始された。これらの人々を含めて、より危険で過酷な労働を強いられた炭鉱労働者たちが出自にかかわらず助け合ったのは不思議なことではない。暴力的な労務管理や過酷な労働と助け合う炭鉱労働者の姿は、決して対立するものではなく表裏をなしているのである。

そのため、「終戦時も、高島、端島では、朝鮮人労働者は円満に帰国した」（『高島炭鉱史』）とされる。その一方で、端島で外勤係（証言者の言葉では「いわば炭鉱の私設警察」）だった男性は、八月一五日に端島に会社の船が来て、中国人と朝鮮人担当の係員をその晩のうちに端島から避難させ、自分も次の船で島を出たと証言している。さらに、長崎では長崎在日朝鮮人の人権を守る会などが、端島や高島での過酷な労務管理について、そこで働いていた朝鮮人・中国人・日本人らから聞き取った証言を多数記録している。

また、戦争中に高島、端島などで働いていた中国人の元労働者や遺族が、国や三菱マテリアルなどに謝罪と賠償を求めて日本や中国で裁判をおこしたが、長崎地裁は強制連行・強制労働の事実を認定し（賠償請求権は二〇年以上が経過し消滅とする、二〇〇七年）、中国の裁判では三菱マテリアルが当時の責任を認めて和解が成立している（二〇一六年）。

残された炭鉱の遺構とともに、これらのさまざまの証言（産業遺産情報センターが集めた端島の元島民による朝鮮人への差別はなかったとする証言も含めて）や裁判記録から、日本の近代化がどのような人たちによって支えられていたのかを考えることができる。

（新木武志）

参考文献など

・長崎在日朝鮮人の人権を守る会編『軍艦島に耳を澄ませば』（社会評論社、二〇一一年）
・福岡地方職業紹介事務局編『坑夫雇傭状態に関する調査』（一九二九年）
・三菱鉱業セメント株式会社高嶋炭砿鉱史編纂委員会編『高島炭鉱史』（一九八九年）
・労働運動史料委員会編『日本労働運動史料第一巻』（労働運動史料刊行委員会、一九六二年）

旧木型場*
（新木武志撮影）

長崎県

三菱長崎造船所（みつびしながさきぞうせんしょ）旧木型場（きゅうきがたば）

長崎造船所に現存する最古の工場建屋

◉歴史

長崎造船所は、一八八四年（明治一七）に、政府から当時日本の海運事業を独占し、高島炭鉱を経営していた三菱に貸し下げられ、その後一八八七年（明治二〇）に正式に払い下げられた（払い下げ時三菱は海運業から撤退していた）。このとき三菱が提出した「長崎造船所御払下願」では、「弊社は今日より機械を改良し、鉄船を新造し、専ら職工の熟練を謀り、内外人の信用を厚くし、将来の隆盛を企図したい」と、新造船建造の意欲を示した。ただし、三菱の経営のもとでも長崎造船所は、船舶の修理を中心とする経営が続いた。大型の新造船を建造しようとしても、海外の造船所に品質や価格面で対抗できなかったのである。そのため、三菱から海運業を受け継いだ日本郵船が所有するすべての船舶は海外の造船所の建造であり、日本海軍の艦船も、そのほとんどを輸入に頼っていた。

data

①〒850-8610長崎県長崎市飽の浦町1-1②095-828-4134（長崎造船所史料館）③https://www.mhi.com/jp/expertise/museum/nagasaki/④完全予約制。見学希望者は電話で予約（当日予約可）⑤毎月第2土曜、年末年始、史料館停電日⑥大人（高校生以上）800円、小・中学生400円、未就学児無料⑦三菱重工長崎造船所⑧電話で予約の上、ＪＲ長崎駅出発の専用シャトルバスを利用する必要がある。ただし、2022年10月現在、建物工事のため休館中。

そこで、日清戦争で船舶不足を経験した政府は、国防面からも造船業の発達を促すため一八九六年（明治二九）に造船奨励法を制定し、一定の基準を満たした優秀船を建造した造船所に補助金を支給するなどの政策を実施した。

そのようななかで三菱は、本社の管事（支配人）として三菱の全事業を指揮していた荘田平五郎（しょうだへいごろう）を、本社管事在任のまま長崎造船所の支配人として長崎に派遣した（一八九七年）。この荘田のもとで、長崎造船所はヨーロッパの先進技術を導入して、船を建造するための八つの船台、第三船渠、鋳物工場、機械工場、中央発電所などを建設し、船に必要な装備を取り付けるための艤装岸壁を整備するなどした。こうして長崎造船所は、修繕中心の経営から新造船の建造を中心とした経営に転換していったのである。

そのなかで木型場は、機械部品や船舶用プロペラなどの鋳物製品を製造する鋳物工場に併設する作業場として、一八九八年（明治三一）に建てられた。そこでは、鋳物工場で用いる鋳型を作るための木の模型（木型）が製作されたが、その作業で使用される電気ドリルのために、造船所のなかで最初に動力源として電気が導入された（この前年に飽の浦中央発電所が竣工したが、そこで発電された電気は各工場の照明のみに使われていた）。また、木骨のレンガ造りの二階建ての建物は、長崎造船所に現存する最も古い施設でもある（ただし、一九一五年に奥行きが拡張されている）。

一九八二年（昭和五七）に新しい木型場が建設されため、この施設は一九八五年（昭和六〇）に改装され、長崎造船所の歴史を紹介する長崎造船所史料館となった。

◉世界遺産としての価値

旧木型場は、長崎造船所に現存する最古の工場建築物で、一階の天井に残る木型を鋳物工場へ牽引するためのU字状のレールは建設当時のままである。それとともに、固定具や固定穴、壁の油汚れなどによって、当時の機械や設備の配置などを知ることができる。それらは、長崎造船所が電化し、工場施設や機械設備を拡充し、大型船の建造を可能としていった時期のもので、新船建造に欠かせない設備であった。

また、木型場は、造船所のなかで日本人が管理した唯一の施設であり（他の施設はイギリス人の管理）、日本人の大工や職人の技能が木型製作に生かされていた。そのため、日本の伝統的な技術と融合しながら西洋の技術が導入されたという側面を示している。つまり、旧木型場は、幕末に洋式艦船の建造・修理技術がなかった日本が、西洋の技術を取り入れ、日本の伝統的な技術も生かしながら、大型船舶を製造する技術を習得し、日本の近代造船業の土台を築いていったことを示す遺産なのである。

◉もっと深く知るために

旧木型場は現在、三菱重工業長崎造船所史料館として一般公開されている。内部は、官営期、三菱創業期、明治後期、大正期、昭和戦前期、戦艦武蔵、会社生活、貴賓御来訪、発電プラント、戦後の造船、客船、岩崎家などのコーナーに分かれ、約九〇〇点の歴史資料が展示されている。

そのなかの「竪削盤」は、現存する日本最古の工作機械で、国の重要文化財に指定されている。これは、幕府が一八五七年（安政四）に長崎製鉄所建設のためにオランダから輸入した工作機械などの一つで、その後百年間にわたって使用されていたものである。また、初期長崎造船所工場の支柱として使用されたと思われるイギリス製の鋳鉄柱や、イギリスパーソンス社との技術提携によって長崎造船所で製造された日本初の陸用蒸気タービン、長崎造船所で建造された客船と海軍艦艇の記念品や遺物、三菱の兵器工場で製造していた海軍の九一式魚雷などの実物も展示されている。

さらに、長崎製鉄所時代からの多数の写真とともに、製鉄所の職員録、工部省時代の就業規則や報告書、三菱と工部省とが交わした「長崎造船局拝借願」と「長崎造船所貸渡条約書」や、「長崎造船所御払下願」と「御払下命令状」、小菅修船場にドック入りした船の記録、戦艦武蔵の建造日誌などの文書資料も展示している。

旧木型場は、建設された当時の建物と、内部に展示されたこれらの歴史資料によって、長崎造船所や三菱の一世紀半にわたる歴史に触れ、日本の近代化について考えることができる場となっている。

（新木武志）

参考文献

・三菱重工業株式会社長崎造船所編『三菱重工業株式会社長崎造船所史料館』（三菱長崎造船所、一九九〇年）
・三菱重工業長崎造船所一五〇年史編纂委員会編『長崎造船所一五〇年』（三菱重工業長崎造船所、二〇〇八年）

占勝閣*
（新木武志撮影）
※一般非公開

三菱長崎造船所（みつびしながさきぞうせんしょ）
占勝閣（せんしょうかく）

明治期の代表的建築家曽禰達蔵が設計した三菱の迎賓館

◉歴史

長崎造船所第三船渠北側の身投岬（みなげみさき）と呼ばれる丘上に、占勝閣と呼ばれるイギリス風の木造二階建て（一部レンガ造り）の洋館が建てられている。これは、イギリス人建築家ジョサイア・コンドルに西洋建築を学んだ曽禰達蔵（そねたつぞう）による設計で、一九〇四年（明治三七）に完成した。一階に食堂、応接間、書斎、ビリヤードルームなどがあり、二階にはホールと寝室、浴室、地下には厨房がある。

もともとは三菱の全事業を指揮しながら、長崎に赴任し、長崎造船所の拡充を推進した荘田平五郎の発案によって、造船所の所長宅として建設された（一九二八年長崎造船所発行の『長崎造船所史』では、同館を「身投岬所長社宅」と紹介している）。ただし、荘田

data
①〒850-8610長崎県長崎市飽の浦町1-1②095-828-4134（長崎造船所史料館）③https://nagasaki-search.com/4959/④一般非公開⑦三菱重工長崎造船所⑧JR長崎駅前から立神、神の島、西泊行きのバスに乗車すると「岩瀬道町」バス停付近から遠望できる。

は長崎では、旧後藤象二郎宅で後に岩崎弥太郎に譲渡され、三菱の所長宅などに使用されていた邸宅（現在はKTNテレビ長崎本社ビルが建つ）に住んでおり、占勝閣が起工さる前に東京に戻っている（一九〇一年、ただし、一九〇六年まで長崎造船所長）。

「占勝閣」の名称は、一九〇五年（明治三八）一月から二月にかけて軍艦千代田が長崎造船所でドック入りしたときに、同館に宿泊した千代田艦長の東伏見宮依仁親王（ひがしふしのみやよりひと）から、後日、銀製花瓶一対とともに与えられた。「占勝」は、同館から長崎港を一望する景色を「風光景勝を占める」と評して選ばれたとされるが、『三菱長崎造船所史』（一九二八年）によれば、同年五月の日露戦争における日本海海戦の勝利の意味もこめられているという（依仁親王は千代田艦長として日本海海戦に参加している）。その後、同館は造船所の迎賓館として皇族をはじめとする賓客や顧客の接待、進水式の祝賀会などに使用されるようになった。館内には狩野探幽や円山応挙の日本画や黒田清輝の作品など数多くの美術、工芸品が所蔵されており、玄関には孫文が一九一三年（大正二）の来崎時に揮毫した「占勝閣」の額が飾られている。

原爆被災時は、占勝閣管理担当者の手記によれば、「玄関の扉や扉枠もこわれ、北面の開閉木製扉も硝子戸もすっかり吹き飛ばされて、それこそ足の踏場もない有様」だったという。さらに、その手記には、戦後、第三船渠に米軍用船が入渠し、荷上げ作業をしていたことや、その後将校がやって来て占勝閣を接収したことも記されている。接収後に居住していたのは、司令官のウイリアム大佐ら将校四名と炊事係や将校送迎の運転手ら七名で、毎夜のように将校を招いて晩餐会を開催していたという（長崎市が二〇一三〜一五年度に米国で収集した被爆に関する写真の中から、「ウィリアムズ大佐の家」と書かれた一九四五年一〇月四日撮影の占勝閣の写真が見つかり、二〇一八年に国立長崎原爆死没者追悼平和祈念館で公開された）。

その後、一九五二年（昭和二七）二月に二階寝室とホールの一部を焼く火事が発生したため、同年中に屋根が葺き替えられたが、建物はこの屋根を除いてほとんど元の状態を維持している。周囲の庭園や樹木も創建当時の状態を保っており、現在は貴賓の接待や船の命名式などの祝賀会に利用されている。また、毎年春と秋には、長崎造船所の定年退職者夫婦を招待した見学会が行われている。

◉世界遺産としての価値

占勝閣を設計した曽禰達蔵は、工部大学校造家学科（現在の東京大学工学部建築学科）の第一期生で、イギリス人建築家ジョサイア・コンドルに学び、明治期の日本を代表する建築家と評価されている。コンドルは、鹿鳴館をはじめとする明治政府関係の建造物を設計した後、三菱が陸軍から購入した東京の丸の内に、ロンドンのようなオフィス街を建設しようと考えていた荘田平五郎に招かれ、三菱の建築顧問となった。そのコンドルの推薦で、曽禰は三菱に建築士として入社し、二人は、後に「一丁倫敦（いっちょうろんどん）」と呼ばれることになる丸の内の開発に取り組んだ。占勝閣は、曽禰が丸の内開発に取り組んでいた時期に設計したもので、曽禰は建物の設計だけでなく、家具や壁紙もデザインしたという。

曽禰が設計した丸の内の建物はすべて現存しないため、占勝閣は明治期の西洋の建築技術の日本への移転を示す建物として重要である。それとともに、完成直後から長崎造船所を訪れた賓客の接待や祝賀会に用いられたように、占勝閣は長崎造船所が近代的な造船所として確立していった時期を象徴する場となっている。

◉もっと深く知るために

明治日本の産業革命遺産の登録資産は、個々の資産の価値ではなく、複数の資産を一つのまとまりとして価値を見出すシリアル・ノミネーション・サイトである。そのなかで長崎造船所内にある旧木型場、占勝閣、第三船渠、ジャイアント・カンチレバークレーンの四資産は、それらが一つのまとまりとなって、長崎造船所が日本の近代造船業の土台となった場所であることを示している。そのため、これらの四資産についての理解を深めるには、造船所のある長崎と造船所を経営する三菱の歴史から考える必要がある。そこでエリア特論「三菱と長崎の近現代史」を設けているので、そちらを参照していただきたい。

（新木武志）

参考文献

・加藤駒次「占勝閣の招かれざる客人」（『原爆前後（六）』思い出集世話人、一九七一年）
・宿利重一『荘田平五郎』（対胸舎、一九三二年）
・三菱重工業長崎造船所編『占勝閣』（三菱重工長崎造船所、一九七二年）
・三菱造船株式会社長崎造船所職工課編『三菱長崎造船所史』（一九二八年）

第三船渠（現在）*
（三菱重工業（株）提供）
※一般非公開

三菱長崎造船所 第三船渠

（みつびしながさきぞうせんしょ だいさんせんきょ）

現在も稼働を続ける日本近代造船業確立期のドック

◉歴史

長崎造船所の政府直営時代、小菅修船場は木造船の建造と船の修理を行っていたが、一〇〇〇トン以上の船を引き上げることができなかった。そこで、大型化した船舶の修繕のため、一八七九年（明治一二）に本工場のある飽の浦（あくのうら）地区の南の立神（たてがみ）地区に第一船渠を建設した。これは、満潮時に船を引き込み、その後水門を閉めて排水し、船舶の修理・整備や新造船の最終仕上げなどを行うドライドックで、当時としては東洋最大のドックであった（長さ一四〇メートル、幅二七メートル、深さ一〇・四メートル、七〇〇〇トンの船舶の入渠可能）。

長崎造船所は、一八八四年

data
①〒850-8610長崎県長崎市飽の浦町1-1②095-828-4134（長崎造船所史料館）③https://nagasaki-search.com/5093/④一般非公開⑦三菱重工長崎造船所⑨軍艦島・長崎港遊覧船の船上から見ることができる。対岸からも遠望できる。

（明治一七）に、政府から当時日本の海運事業を独占し、高島炭鉱を経営していた三菱に貸し下げられ、その後一八八七年（明治二〇）に正式に払い下げられた（払い下げ時に三菱は海運業から撤退していた）。このとき三菱が提出した「長崎造船所御払下願」では、「弊社は今日より機械を改良し、鉄船を新造し、専ら職工の熟練を謀り、内外人の信用を厚くし、将来の隆盛を企図したい」と、新造船建造の意欲を示した。ただし、大型の新造船を建造しようとしても、当時の三菱は品質や価格面で海外の造船所に対抗できなかった。そのため、三菱は、船舶の大型化に対応するためこの後も船舶

第三船渠（1947年）
（三菱重工業（株）提供）

の修理を中心とする経営を続けた。

そのため、大型化が進む船舶に対応するため、一八九五年（明治二八）に第一船渠の延長工事（長さ一五九・四メートルとし、一万二〇〇〇トンの船舶まで入渠可能）を行い、翌九六年、飽の浦に第二船渠を新設した（長さ一一三メートル、幅二〇・四メートル、深さ九・四メートル、四〇〇〇トンの船舶まで入渠可能）。さらに一九〇〇年（明治三三）には、飽の浦と立神の間の向島に第三船渠の建設を決定し、土地を買収して翌年一二月に工事を開始した。

工事は、まず背後の崖を掘崩するとともに前面の海を埋め立て、その後潮止工事を行い、ドック部分を掘削し、その床と側壁に石材を据え付けていった（『三菱長崎造船所史』には「渠底コンクリート工事は同年（注：明治三七年）十月修了」と記載されているので、床部分はコンクリート層の上に敷石を張ったと思われる。また、側壁部分の石積みは階段状になっていた）。それとともに、第一・第二船渠では蒸気機関駆動の排水ポンプを使用していたが、この第三船渠は長崎造船所の電化にともなって、イギリスのシーメンス・ブラザーズ社（ドイツのシーメンス社の前身シーメンス・ウント・ハルスケ社のイギリス支店が改組されて創設）製の電気モーターを動力とするイギリスのグウィンズ社製排水ポンプ四基を設置した（一基の一時間あたりの排水量四〇〇〇トン）。その後、排水の試験などを行った後、潮止めを撤去した。また、これらの工事とともに、飽の浦の発電所から電線を敷設するため、第三船渠と第二船渠を結ぶトンネル工事が行われたが、このトンネルはさらに拡張され、交通・運搬用に利用できるようにされた。

これらのすべての工事は、一九〇五年(明治三八)一一月に完了し、長さ二二二・二メートル、幅二七・〇メートル、深さ一二・三メートル、三万トンの大型船舶の入渠が可能な東洋で最大のドックが完成した。こうして、長崎造船所は三基のドライドックを備え、東アジアやア太平洋地域を航行する大型船舶の修理能力

第三船渠(1957年)
(三菱重工業(株) 提供)

第三船渠(1960年)
(三菱重工業(株) 提供)

を充実させていった。

その一方、日清戦争で船舶不足を経験した政府は、国防面からも造船業の育成に乗り出し、造船奨励法の制定（一八九六年）によって、一定の基準を満たした優秀船を建造した造船所に補助金を支給するなどの政策を開始した。そのようななかで長崎造船所は、それまで一五〇〇トンクラスの船舶までしか建造したことがなかったが、日本郵船から六〇〇〇トンクラスの大型汽船「常盤丸（ひたちまる）」を受注し、立神に整備した造船工場で起工して一八九八年（明治三一）に完成させた。それとともに長崎造船所は、修繕中心の経営から新船の建造を中心とする経営をめざしはじめた。そのために、荘田平五郎が長崎造船所の支配人として赴任し（一八九七年）、ヨーロッパの先進技術を導入して、近代的な造船所としての工場施設や機械設備を整備していった。

さらに、第三船渠の建設とともに、船渠建設のために掘削した土砂を利用して一九〇二年から立神の海岸を埋め立て、船を建造するための船台の建設が始まり、一九〇六年までに第一船台から第八船台まで完成した。

こうして一九〇〇年代初め、長崎造船所は、立神の八船台と三基の船渠、造機関係の工場、発電所、艤装岸壁などを備えた近代的造船所となり、この後、新造船の建造を中心とする経営を確立していき、船舶修理の事業の比重は減少していった。

この修理事業を担ってきた第一船渠と第二船渠は、一九六〇年代から七〇年代に閉鎖され、現存していない。第三船渠は一九四三年、一九五七年、一九六〇年の三度にわたって拡張され、現在は、長さ二七六・六メートル、幅三八・八メートル、深さは建設当時のままの一二・三メートル、修理・建造能力は九万五〇〇〇トンとなっており、船舶の修理などに使用され続けている。

◉世界遺産としての価値

長崎造船所の第一船渠は、小菅修船場の純益金などをもとに一八七〇年（明治三）に建設が始まったが、工事が進展せず未完成のまま放置された。その後、フランス人技師のもとで一八七四年（明治七）に再工事に着工したが、完成間近かに入り口の汐留が決壊して海水が流入し、ゲートが壊れてしまったため、完成したのは一八七九年（明治一二）であった。

第三船渠は、日本人技術者によって、入り江を使って自然を利用する形で設計され、第一船渠の延長工事と第二船渠建設を指揮した日本人の監督のもとで、一九〇一年（明治三四）一二月に着工し、三年半足らずで完成した。そこには、第一船渠の汐留の崩壊の経験や、第一船渠・第二船渠の工事を指揮した日本人監督の経験が生かされていた。

この三基の船渠のなかで唯一現存している第三船渠は、三回にわたる拡張工事でもとの形態を完全にはとどめていないが、背後の崖を切り崩して建設した当時の姿は維持されて、ドックの底に張られた御影石の敷石も建設当時のままである。さらに、背後の崖に通された第二船渠に接続するトンネルは現在も使用されており、イギリスから輸入して設置されたシーメンスの電動モーターと、排水のための四台のポンプのうちの三台も現存し、稼働し続けている。これらは、長崎造船所が、西洋の最高の技術を迅速に導入し、その技術を学び取り、修正と改良を加えながら近代的造船所の土台を築いていったことを今に伝えている。

（新木武志）

◉もっと深く知るために

エリア特論「三菱と長崎の近現代史」を参照のこと。

参考文献

・三菱造船株式会社長崎造船所編『新秋の浦夜話』（日本工房、一九六一年）
・三菱造船株式会社長崎造船所職工課編・出版『長崎造船所史』（第一巻、一九二八年）

ジャイアント・カンチレバークレーン*
(新木武志撮影)
※一般非公開

長崎県

三菱長崎造船所(みつびしながさきぞうせんしょ)ジャイアント・カンチレバークレーン

日本初のスコットランド製ハンマーヘッド型電動クレーン

◉歴史

ジャイアント・カンチレバークレーンは、イギリスのスコットランドで造船業がさかんであったグラスゴーのアップルビー社によって製造された。一端だけで荷重を支える片持ち梁構造(カンチレバー)で、アームの片側が張り出した形状から「ハンマーヘッド・クレーン」とも呼ばれている。これがスコットランドのマザーウェル・ブリッジ社によって解体されて長崎まで輸送され、同社が派遣したイギリス人技師の監督のもとで、一九〇九年(明治四二)に、長崎造船所の機械工場近くの飽の浦岸壁に設置された。クレーンの荷をつるすアームの部分の長さは六一・七三メートル、高さは六一

data
①〒850-8610長崎県長崎市飽の浦町1-1②095-828-4134(長崎造船所史料館)③https://nagasaki-search.com/4309/④一般非公開⑦三菱重工長崎造船所⑨造船所内では安全上見学できないが、軍艦島クルーズや長崎港遊覧船の船上や、対岸に位置する水辺の森公園からその全容を見ることができる。

メートルで、一五〇トンまで吊り上げることができる。使用されている鋼材は約一〇〇〇トンで、購入価格は二八万八〇〇〇円であったという（当時の従業員の平均月給は一六～一七円程度）。

当時の三菱は、一九〇四年（明治三七）にイギリスのパーソンズ社と同社が開発した蒸気タービンについてのライセンス契約を結び、長崎造船所内にタービン工場を新設（一九〇八年完成）して船舶用・陸用の蒸気タービンの製造に取り組んでいた。蒸気タービンは、回転軸の周りに羽根（ブレード）を取り付けた羽根車に高圧蒸気を噴きつけて、直接回転させることで大きな出力が得られた。そのため、それまでの蒸気でシリンダー内のピストンを上下に動かし、それを回転運動に変えていた蒸気機関に代わって、発電や船舶用に広まり始めていた（現在も火力発電所や原子力発電所の発電用タービンに使用され続けている)。

長崎造船所では一九〇八年(明治四一)に、輸入した蒸気タービンを搭載した最初の船が竣工するとともに、タービン工場で生産された日本初の船舶用タービンが、帝国海軍協会義勇艦のさくら丸に搭載された。ジャイアント・カンチレバークレーンは、このような大型機器を搭載するための設備であった。

その後、クレーンが設置された岸壁付近が造船所の拡張のために埋め立てられたため、クレーンはいったん解体され、一九六一年(昭和三六)に一五〇メートルほど東の現在の位置に移設された。現在も蒸気タービンや船舶用のプロペラなどの船積みに使用されている。二〇〇三年(平成一五)には、文部科学省の登録有形文化財に指定登録された。

◉世界遺産としての価値

長崎造船所に設置されたジャイアント・カンチレバークレーンは、当時の最新モデルで、造船業の遺産について調査しているブライアン・ニューマン(イギリスのニューキャッスル大学海上科学技術学部)によれば、同型のクレーンは世界で四八基造られたと推定されている。そのうち現存しているクレーンは一〇基程度で、現在も稼働しているのは三基とされる。日本では長崎造船所の他には、横須賀海軍工廠(一九一二)、呉海軍工廠(一九一〇)、佐世保海軍工廠(一九一三)、横浜港(一九一三)に設置され、佐世保と横浜で現存しており、佐世保では現在も稼働している。このように現存し、稼働している同型のクレーンが非常に少なくなっているなかで、最も古く、かつスコットランドから最初に輸出されたのが長崎造船所のクレーンで、その希少価値は極めて高いとされる。

さらに、長崎造船所のクレーンは、当初の設置場所から移設されているが、これまで取り換えられたのは二台のメインの巻上げモーターとギアボックスだけで、骨組みやクレーン旋回用のブレーキ、シャフト、操作盤などは竣工時のオリジナルのままの形状と材質が維持されている。そして、一〇〇年以上にわたって設置当初から変わらず大型機器の積み降ろしのために稼働し続けていることから、西洋から日本への技術移転のプロセスを説明するうえで、象徴的で重要な構造物と評価されている。

　このクレーンによって長崎造船所では、大型船に重たいタービンの積み込みが可能になり、それまでに整備された木型場、第三船渠、船台、鋳物工場、機械工場、中央発電所、船型試験場などとあわせて、大型船の設計から建造まで行う基礎が固められた。ジャイアント・カンチレバークレーンは、この日本の近代造船業の土台が確立した時代を伝える貴重な遺産である。

◉もっと深く知るために

　ジャイアント・カンチレバークレーンは、スコットランド政府による国内外の一〇カ所の遺産をデジタル3D化するスコティッシュ・テンというプロジェクトに選出され、デジタルデータ化されている。そのデータは、構成資産を持つ県市で構成する「明治日本の産業革命遺産」世界遺産協議会が開発したガイド用アプリによって閲覧が可能で、そのデータを利用したクレーン操作のシミュレーションもできる。

　この資産についての理解を深めるためには、エリア特論「三菱と長崎の近現代史」を参照されたい。

（新木武志）

参考文献

・長船一五〇年史編纂委員会編『長船よもやま話』（三菱重工株式会社長崎造船所、二〇〇七年）

・産業遺産国際会議（平成二六年七月一四日―一五日開催）議事録（https://sangyoisankokuminkaigi.jimdo.com/産業遺産国民会議について/会議開催/）

・明治日本の産業革命遺産ガイドアプリパスポート（産業遺産ガイドアプリ）

エリア特論

三菱と長崎の近現代史

新木武志

明治日本の産業革命遺産は二三の資産で構成されているが、そのなかの八資産は長崎市内にある。さらに、そのなかの五資産は三菱が経営する長崎造船所の施設であり、他の三資産もかつて三菱が経営あるいは所有していた施設である。長崎にある産業革命遺産のすべてが三菱に関係しているのは、三菱が長崎を拠点として造船業を中心に、日本の近代化を牽引したことを示している。そこで、三菱と、その活動拠点となった長崎の近現代史をたどることで、これらの産業革命遺産が切り開いた日本の近代化とその後について考えてみたい。

三菱と欧米列強

徳川幕府は、開国後に海軍の教育のために長崎海軍伝習所（ながさきかいぐんでんしゅうじょ）を開設し（一八五五年）、オランダから軍艦を購入して訓練をおこなう一方で、艦船修理のためにオランダに技術者や資材の手配を依頼して一八六一年（文久元）、長崎港西岸の飽の浦に長崎鎔鐵所（ながさきようてつしょ）（長崎製鉄所）を建設した。これが日本で初めての近代的な洋式工場で、蒸気機関で動く工作機械などが据え付けられ、艦船の小修理ができた。徳川幕府が倒されると、長崎製鉄所は長崎府庁を経て明治政府の工部省の管轄となったが、その後三菱に払い下げられた（その名称はたびたび変更されているが、そのなかで「長崎造船所」が最も一般的となったので、本論では「長崎造船所」を用いている）。

三菱は、土佐藩士が設立した海運業を主事業とする九十九商会を母体に、岩崎弥太郎によって設立された（三菱商会）。その後、明治政府による台湾出兵時に、政府から協力を依頼されて軍事輸送を担ったことで、政府の全面的な保護を受けることになった。当時、殖産興業政策を進めていた内務卿大久保利通は、その基盤として国内交通網の整備に取り組んでいたが、当時の日本は機関車やレールなどを生産する能力はなく、さらにけわしい地形が多いため、蒸気船による交通網の整備を優先していた。そこで、三菱が日本の海上輸送の中核と位置づけられ、政府所有の船舶を委託されるなど特別の保護を与えられたのである。そのもとで三菱は、一八七五年（明治八）に、日本で最初の外国定期航路である横浜―神戸―下関―長崎―上海を結ぶ航路を開設し、アメリカのPM社を上海航路から撤退させた。さらに、日朝修好条規によって、朝鮮半島の釜山、仁川、元山が開港すると長崎と釜山を結ぶ朝鮮航路を開設した。

しかし、一八八五年（明治一八）に三菱と共同運輸会社が合併して日本郵船が成立すると、三菱は海運業から撤退し、買収した高島炭鉱の開発を進め、払い下げられた長崎造船所の拡充を進めるなど、鉱山事業や造船業を経営の中心とするようになった。このように、三菱は、国内産業育成を進め、外国資本を排除しようとする明治政府の保護を受け、経営を多角化していきながら、近代日本の経済で支配的な地位を占める財閥の一つとなっていった。

ただし、三菱が開発を進めた高島の石炭の多くは上海など海外市場に送られており、長崎の造船所も「もっぱら外国船の修理によって維持してきました」（「長崎造船所御払下願」）という状況で、これらは長距離を航海して来る欧米列強の必要に応えるためのものでもあった。そのため、三菱の高島炭鉱と長崎造船所があり、中国大陸と朝鮮半島をのぞむ位置にある長崎は、中国、朝鮮、日本およびロシアの東アジア諸地域を結ぶ国際航路の中継地となるとともに、列強の海軍にとっても重要な軍事拠点となった。

一八八二年（明治一五）六月四日付の『朝日新聞』には、「長崎港へ英、露、仏軍艦の輻輳する景況はかねて聞き及びたるが、今また聞く所によれば、各国軍艦の東洋に在るものはひとまず長崎港に会集し、各国協議の上にて締盟条約のため朝鮮国に向いて進航するよし」と、長崎港が列強海軍の寄港地となっていたことを伝えている。なかでも、極東のロシア海軍は、一八八〇年代まで根拠地のウラジオストック港にはドックもなかったので、艦船の修理は長崎や上海などのドックに依存していた。さらに港が冬の凍結している間、ロシア海軍は長崎港を利用しており、長崎港西岸の稲佐は、ロシア海軍病院や工場、宿泊施設などが建ち並び「ロシア村」と呼ばれていた。

日清戦争で日本が勝利し、ヨーロッパ列強による中国分割が本格化していく一八九六年（明治二九）二月の長崎の英字新聞 The Nagasaki Shipping List は、「一八九五年中に、あらゆる国の一六〇隻以上の軍艦が長崎に寄港した。当該年に五回も六回も入港した軍艦もあったので、当然のことながら、軍艦の実際の入港回数はそれよりはるかに多い。また、今年の入港回数は昨年のそれを上回る兆しがあり、列強の極東艦隊の大幅な増強と政治的雰囲気の混乱状態が、これをもたらしている主な要因となっている」（ブライアン・バークガフニ二〇一四）と伝えている。

一八九九年（明治三二）六月に中国で義和団事件が起こると、長崎港には戦闘に従事した列強連合軍の軍艦や運送船が続々と入港し、長崎は連合軍に物資を提供する補給基地となるとともに、負傷者や避難民の収容地ともなった。また、アメリカが米西戦争に勝利し、フィリピンを領有すると、フィリピンに向うアメリカの軍用船も長崎に寄港し、石炭や食料の積み込みを行うようになった。

さらに、これら列強だけでなく、日本にとっても長崎は重要な軍事拠点となった。一八七四年（明治七）の台湾出兵のときには、長崎が遠征軍の結集地となり、一八七七年（明治一〇）の西南戦争のときも政府軍の兵站基地となった。西南戦争時には、当時アジア最大規模の軍事・機械製造工場であった上海の江南製造局から大量の弾薬が輸入されてきた。さらに、一八七五年（明治八）九月に朝鮮半島で江華島事件を引き起こした雲揚号も、長崎港を出港し、事件後に長崎港に帰着している。そして、一九〇四年（明治三七）に日露戦争が始まると、長崎港は九州各師団将兵の輸送港に指定され、将兵の輸送が行われた。

このように、欧米列強が東アジアを市場に組み込んでいくなかで長崎は、東アジアでの欧米列強の軍事行動を補完する拠点となるとともに、日本が朝鮮半島や中国に進出するための重要な軍事拠点となったのである。そして、それらの活動を支えたのが、三菱が所有する（ことになる）高島炭鉱や長崎造船所であった。

長崎の軍需産業　日露戦争によって日本が朝鮮半島を支配下におき、中国東北部（旧満洲）に権益を拡大していくなかで山口県の下関と釜山とを結ぶ関釜連絡線が開設された（一九〇五年）。これが、日本では東京の新橋―下関間の直通列車と、朝鮮半島では釜山―新義州（鴨緑江沿岸）間を結ぶ朝鮮半島縦貫線と接続された（一九〇六年）。さらに、朝鮮半島縦貫線は、一九一一年（明治四四）の鴨緑江鉄橋の完成によって、対岸の中国東北地方の南満州鉄道と結合された。

これによって、それまで上海と定期航路で結びついていた朝鮮・中国東北部・華北の諸都市が、大阪・神戸と直接結びつけられることになった。そして、これらの地域に、大阪を中心に機械化がすすみ、大量生産されるようになった綿製品が輸出されていくようになった。つまり、日本は軍事的勝利によって朝鮮半島や中国東北・華北へ権益を拡大し、日本を中心にこれらの地域の諸都市を結ぶ交通路を整備し、新たな交易圏を形成していったのである（黄海交易圏）。その結果、上海ネットワークの一部として、東アジア諸地域を結ぶ中継地としての役割を果たしてきた長崎は、新たに形成された交易圏の外部に位置することになってしまった。

さらに、日露戦争によってロシアの極東への南下政策が阻止されたことで、ウラジオストックのロシア海軍は縮小され、長崎に寄港しなくなった。また、フィリピンに向うアメリカ軍用船も、オーストラリア炭を積み込むようになったため、長崎寄港の必要がなくなっていた。

それに加えて、二〇世紀の初めには、船舶の燃料が石炭から液状で扱いやすく燃料効率に優れた重油に移行していったことで、長崎で石炭を補給していた船舶・艦船は長崎に寄港する必要がなくなっていった。こうして、国際航路の寄港地としても、欧米列強の軍事拠点としても長崎の重要性は低下していった。

そのなかで、一九二三年（大正一二）に日華連絡船が就航し、長崎と上海との結びつきが強められ、第一次世界大戦時には長崎がドイツが支配する中国の青島攻撃のための第一八師団の出発地となった。一九三〇年代に日中戦争が開始され、日本軍が中国の江南方面へ展開するようになると、物資補給のために長崎港から上海向けの輸出が増加し、対中国貿易は活発になった。中国東北地方に権益を確立した日本が、その維持とさらなる拡大をめざし、さらに中国大陸への進出を続けるなかで長崎は日本の大陸進出の拠点となっていったのである。

そして、その長崎を支えたのは、やはり三菱だった。日清戦争後に政府が造船業の発達を促すなかで、長崎造船所は、一般の船舶とともに日本海軍の艦船も積極的に受注し、建造した。そのため、ジャイアント・カンチレバークレーンは、海軍の艦船に蒸気タービンや大砲を装備するためにも使用された。第三船渠建設とともに海岸を埋め立てて建設された船台には、海軍の大型艦の建造のために、補強・拡張工事後、門型の構造のガントリー・クレーンが設置された。その後、これらの船台で海軍の霧島（第一船台、民間造船所で最初に建造された戦艦）や、武蔵（第二船台）などが建造された。このような海軍からの艦船の建造受注によって、不況期に船会社が新船建造を控えても、長崎造船所は経営を維持し続けることができた。

その結果、一九三一年（昭和六）の満州事変から日本がアジア太平洋戦争で敗北する一九四五年（昭和二〇）までに、三菱長崎造船所で建造された船の五八パーセントが海軍の艦船となった。また、アジア太平洋戦争がはじまった一九四一年（昭和一六）から一九四五年（昭和二〇）までの期間に長崎造船所で建造された海軍の艦船は、海軍の全建造量の一五パーセント（排水トン数）を占めた。

さらに三菱は、一九一六年（大正五）以降、長崎市北部の浦上（うらかみ）地区に、三菱長崎兵器製作所や長崎製鋼工場を創設し、これらの工場で魚雷や軍事用鋼材を生産するようになった（兵器製作所で製造された航空魚雷はハワイの真珠湾攻撃にも使用された）。兵器製作所は開設後も、拡張を続け、浦上地区には関連工場が立ち並び、長崎は、三菱を中核とする軍需産業都市化していった。

そのため、長崎は戦争末期に数度の空襲を受けた。そして、一九四五年（昭和二〇）八月九日にはアメリカ軍によって浦上上空に原爆が投下された。長崎造船所は爆心地から三キロ以上離れているため、ジャイアント・カンチレバークレーンや旧木型場、第三船渠、占勝閣は大きな被害は免れたが、いずれも原爆に被災した被爆遺構でもある。一方、原爆が投下された浦上地区にあった長崎兵器製作所と長崎製鋼工場では、三〇〇〇人以上の死者を出した。また、このとき長崎市内には、これらの工場への徴用者を含めて二万人以上の朝鮮半島出身者が住んでいたが、そのうち一万人が死亡したという推定もある。

戦後の長崎造船所は、大型タンカーを中心に建造し、一九五六年（昭和三一）に単一製作所として年間進水量世界第一位となった。ただし、一九八〇年代半ばから韓国の造船業が躍進し、二〇〇〇年代には中国の造船業が急成長していった。そのなかで、長崎造船所は大型客船の建造を手がけるなどしたが、現在は大型客船事業から撤退し、新造船の受注も減少が続くなかで、防衛省向けの艦艇事業や航空エンジン部品の製造などを中心事業としている。

このように、三菱と長崎の近現代史のなかで、長崎造船所は、世界遺産として評価されていること以外でも、さまざまな役割を果たしてきた。明治日本の産業革命遺産は、個々の資産の価値ではなく、複数の資産を組み合わせることで価値を見出すシリアル・ノミネーションでの登録となっている。まさに、長崎造船所の五資産、さらに長崎の他の三資産を組み合わせ、それを近代の東アジアの歴史のなかに位置づけることで、非西洋地域での西洋技術による急速な近代化というストーリーを越えて、多様な日本や東アジアの近現代史を学ぶことができる。

参考文献

・小風秀雅『帝国主義下の日本海運――国際競争と対外自立』（山川出版社、一九九五年）
・浜淵久志「太平洋戦争期における三菱財閥の再編過程（二）」（『經濟學研究』第三一巻四号、一九八二年）
・ブライアン・バークガフニ『リンガー家秘録1868―1940』（長崎文献社、二〇一四年）
・古田和子『上海ネットワークと近代東アジア』（東京大学出版会、二〇〇〇年）

宮原坑と専用鉄道敷跡（山田雄三撮影）

福岡県・熊本県

三池(みいけ)炭鉱(たんこう)・三池(みいけ)港(こう)

石炭産業を支えた人びとの歴史を見つめてきた炭鉱施設群

◉歴史

福岡県南端の大牟田市から熊本県北端の荒尾市、その西側の有明海にかけて三池炭田と呼ばれる日本有数の良質な石炭鉱床が広がっている。

この地での石炭発見の伝承は室町時代までさかのぼる。文明元年（一四六九）に三池郡稲荷村の農夫伝治左衛門が薪を拾いに稲荷山(とうかやま)にのぼり焚き火をしていたところ燃える石を発見したと伝えられている。

三池炭田で本格的な採炭が始まるのは、商品として石炭の需要が高まる江戸中期以降のことである。享保六年（一七二一）に柳河(やながわ)藩家老小野春信が藩主より拝領した平野山で石炭の採掘を始め、隣接する三池藩でも稲荷山などで炭鉱の開発が進められた。三池炭田から切り出された石炭は、家庭用燃料のほかに、製塩や瓦焼、開国後は外国船の燃料などとして使用された。

明治六年（一八七三）に明治新政府は殖産興業の政策のもと三池炭鉱を官収すると、西洋の炭鉱技術の導入を推し進めた。三池炭鉱の近代化に大きく貢献したのは、イギリ

data

【宮原坑】①〒836-0875福岡県大牟田市宮原町1-86-3②0944-41-2515（大牟田市世界遺産・文化財室）③https://www.miike-coalmines.jp/miyanohara.html④9時30分～17時（最終入場16時30分）⑥無料⑦大牟田市⑧JR大牟田駅から西鉄バスで勝立方面へ「早鐘眼鏡橋」下車、徒歩10分。

ス人のフレデリック・アントニー・ポッターを初めとした外国人技師であった。彼らの指導のもと、軌道が敷かれた直線の洋式坑道がほられ、蒸気機関を動力とする機械（斜坑巻揚機、排水ポンプ、扇風機等）の設置も進められた。その結果、生産性は飛躍的に向上し、明治一〇年（一八七七）から明治二〇年（一八八七）の間に出炭量は六倍近くまで増加した。

明治二一年（一八八八）に三池炭鉱は黒字経営のまま三井財閥に払い下げられた。その後の三井三池炭鉱の大躍進の礎を築いたのが、團琢磨（だんたくま）（一八五八〜一九三二）であった。團は旧福岡藩主黒田長知の供として一三

data

【万田坑】①熊本県荒尾市原万田200-2②0968-57-9155（万田坑ステーション）③https://www.city.arao.lg.jp/kurashi/shisetsu/mandakou/④9時30分〜17時⑥大人410円、高校生310円、小・中学生210円⑦荒尾市⑧JR荒尾駅から産交バスで万田中・倉掛方面へ「万田坑前」下車すぐ。

歳のときに岩倉使節団（明治四年から六年にかけて岩倉具視を正使として欧米に派遣された使節団）に同行してアメリカに渡り、ボストン工科大学（現マサチューセッツ工科大学）で鉱山学を修めて帰国した。官営時代から工部省三池鉱山局の技師として働いていた團は、三井が三池炭鉱の経営を引き継ぐと最高責任者である初代事務長として迎えられた。

三池炭鉱ではかねてより多量の湧水の問題に悩まされていた。官営時代に将来の主力坑のひとつとして開発が着手された勝立坑も、開削に伴う湧水と明治二二年（一八八九）の熊本地震の影響により水没し、工事が暗礁に乗り上げていた。この解決策として、團は当時世界最大といわれたイギリス製のデビーポンプの導入を決意し、勝立坑の排水に成功した。さらに排水技術の向上を背景に、次々に新しい坑口の開発を進め、明治三一年（一八九八）には宮原坑、明治三五（一九〇二）には万田坑の操業を開始した。

團は石炭輸送の改革にも積極的に取り組んだ。坑外運搬の効率化のため、馬車鉄道にかわり専用鉄道を敷設し蒸気機関車を導入した。また、大型船が接岸できる新港の建設工事に着手し、六年の歳月をかけて明治四一年（一九〇八）に三池港を完成させた。それまで大牟田港から島原半島の口之津港や宇土半島の三角西港まで小型船で石炭を運搬し大型船に積みかえていたのが、これにより三池港から直積みして輸出できるようになった。各坑口、専用鉄道、港をつなぐ一体的なシステムをつくることで、石炭輸送の効率は飛躍的に向上した。

官営当初の三池炭鉱の出炭量は年間六〜一〇万トンほどであったが、西洋の最新の技術を積極的に導入し開発を進めることで、明治四三年（一九一〇）には年間一八〇万トン近くの出炭量に達した。三池炭鉱の石炭は国内の製鉄・製鋼業や造船業などの重工業の発

data

【専用鉄道敷跡】①福岡県大牟田市、熊本県荒尾市②0944-41-2515(大牟田市世界遺産・文化財室)0968-63-1274(荒尾市文化企画課)③https://www.miike-coalmines.jp/rale.html ⑥無料(鉄道敷跡は、宮原坑跡や万田坑跡などから見ることができる)⑦大牟田市、荒尾市

展に大きく貢献するとともに、上海や香港、シンガポールなどにも輸出された。

その後も三池炭鉱は日本の産業の発展を支え続けたが、戦後の石炭から石油へのエネルギー政策の転換のなかで事業規模は縮小し、平成九年（一九九七）に閉山を迎えた。

◉世界遺産としての価値

「三池炭鉱・三池港」の資産には、宮原坑、万田坑、専用鉄道敷跡、三池港の四つの施設が含まれている。三池炭鉱は高島炭鉱に次いで西洋の技術を導入し、国内で二番目に近代化を果たした炭鉱であり、明治日本の産業革命の完成期をあらわす遺産として位置づけられている。これら施設群は明治期の石炭産業の技術とシステムを現代に伝える貴重な価値を有している。

・宮原坑（明治三一年開坑）

三池炭鉱を買収した三井が最初に開削した坑口であり、明治期から昭和初期にかけて主力坑として活躍した。明治三四年（一九〇一）に建設された第二竪坑やぐらと煉瓦造の巻揚機室が現存している。高さ二二メートルのやぐらは、鋼鉄製のものとしては国内最古である。

・万田坑（明治三五年開坑）

三井が宮原坑に続いて開削した坑口であり、明治期における国内最大規模の炭鉱施設である。明治四一年（一九〇八）に完成した高さ一八・九メートルの鋼鉄製の第二竪坑やぐら、煉瓦造の巻揚機室、倉庫及びポンプ室（旧扇風機室）などが良好な状態で現存している。また巻揚機室には、外国製の機械（ジャックエンジン、ウィンチ）や国産となる三井三池製作所製の機械（巻揚機）がほぼ当時の状態のまま格納されている。

data

【三池港】①福岡県大牟田市新港町②0944-41-2515(大牟田市世界遺産・文化財室)③https://www.miike-coalmines.jp/port.html④三池港展望所の公開は午前9時30分～午後5時まで⑥無料⑦福岡県⑧JR大牟田駅西口から西鉄バスで「三池港」行き乗車、終点下車すぐ。

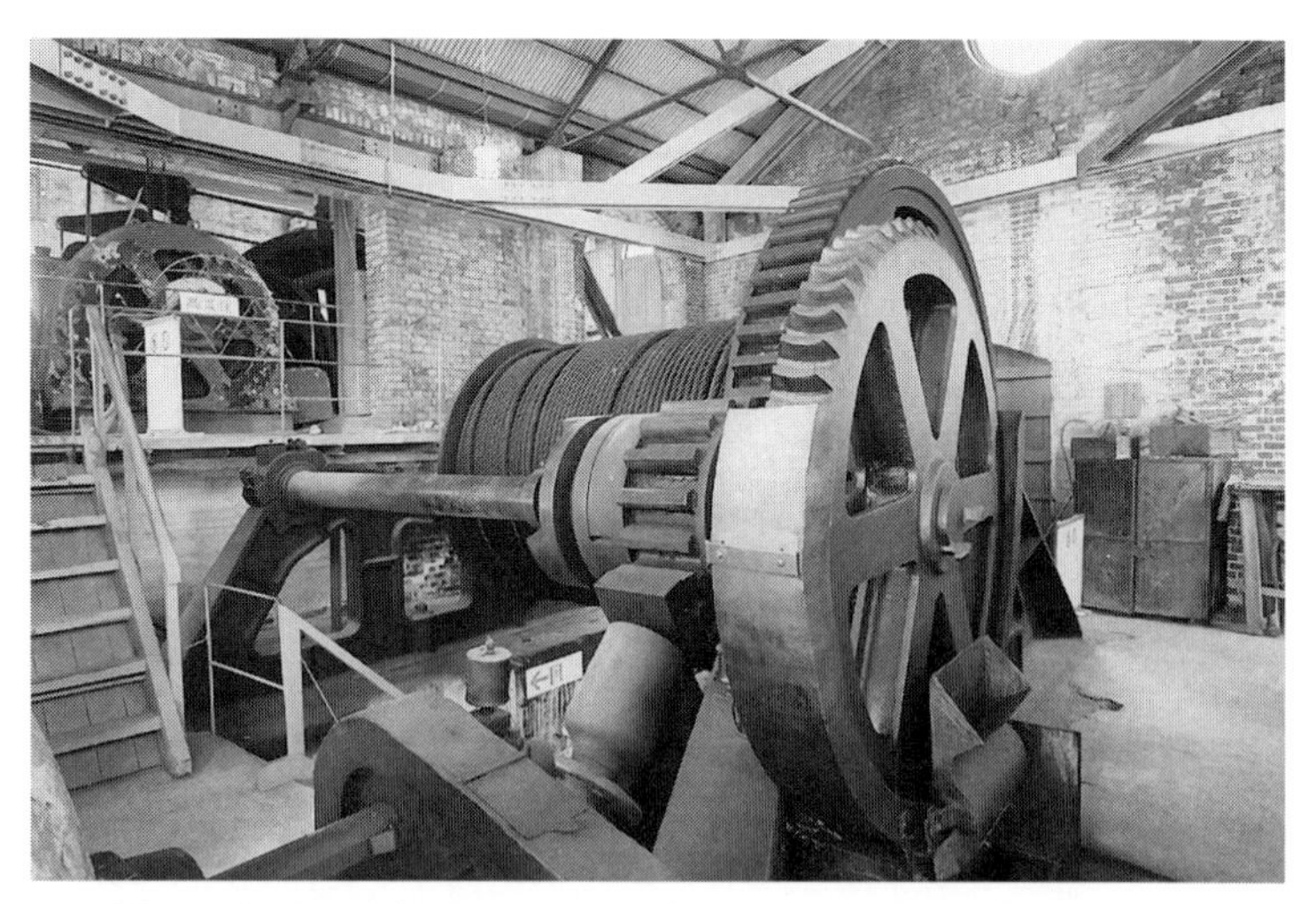

万田坑第二竪坑巻揚機室(出典: Photolibrary)

三池港閘門(出典: Photolibrary)

・専用鉄道敷跡

専用鉄道は三池炭鉱で掘り出された石炭や炭鉱資材の輸送を効率化するために敷設された。宮原坑や万田坑などの各坑口と積出港である三池港とをつなぎ、最盛期には総延長約一五〇キロメートルにも及んだ。すでにレールは取り除かれているが、枕木の一部、煉瓦造の橋梁や橋台、線路を緩勾配で敷設するために造成した切土や盛土が現存している。

・三池港（明治四一年開港）

團琢磨の主導のもと、明治期の最新の土木港湾技術を結集して建設された港であり、百年以上を経た今も現役の産業港として稼動している。干満の差が大きい有明海において、干潮時にも大型船が停泊できるように閘門（こうもん）を備えた船渠（ドック）を有している。現存する閘門設備はイギリスのテームズ・シビル・エンジニアリング社製で、三井三池炭鉱社製作工場（後の三井三池製作所）が施工した。現在も当時の水圧シリンダーや水流ポンプで閘門扉の開閉が行われている。

◉もっと深く知るために

「三池炭鉱・三池港」が所在する大牟田市及び荒尾市は、日本の近代化を支えた石炭産業の光と影の両面の歴史について現存する建造物や遺物などを通して学ぶことができる全国でも稀な場所であると言えるだろう。

明治期の石炭産業の輝かしい歴史については、團琢磨の人物史を軸に学ぶことできる。岩倉使節団に同行し、アメリカで最先端の鉱山学を身につけ、三池炭鉱社の事務長就任後は西洋の技術を積極的に取り入れながら新しい坑口の開発や築港に成功し、その後の石炭産業の発展の礎を築くまでの一連の業績は、「明治日本の産業革命遺産」の「完成期」のストーリーとそのまま重なり合う。

一方で、明治期の石炭産業の発展の裏には、無名の人びとの様々な苦難の歴史があったことは忘れてはならないだろう。

囚人労働の歴史はそのひとつである。囚人労働はすでに幕末期に北海道の白糠炭鉱や横須賀製鉄所で行われていた。明治期以降では明治六年（一八七三）に三池炭鉱で導入されたのが始まりで、昭和五年（一九三〇）まで続けられた。『荒尾市史』（二〇一二年）によれば、明治三一年（一八九八）時点で三池炭鉱の採炭夫の七割近くが囚徒で占められていた。これら囚徒のなかには、過酷な労働環境のなかで命を落とす者も多かった。三池集治監（明治一六年開庁）の跡地に建つ福岡県立三池工業高校の敷地内には、当時の外壁や石垣の一部が今も残っている。

与論島の人びとの移住の歴史も同様である。奄美群島の最南端に位置する与論島を未曾有の台風が襲い、続く旱魃と飢饉、疫病の流行によって島全体が壊滅的な状態に陥ったのは明治三一年（一八九八）のことであった。この頃、三池炭鉱での出炭量の増加に伴い石炭船積夫が極度に不足するという問題が生じるなか、与論島の人びとは島民の生存のため有志を募り長崎県口之津へ集団移住することを決意した。その後、移住先での過酷な荷役労働や差別、また三池港の完成により口之津港が石炭積出港としての役割を終えたことに伴う三池への再移住など、与論島の人びとの苦難の歴史がある。

さらに時代の射程を広げるならば、戦時体制下の「強制労働」、戦後の三池争議や三川鉱炭じん爆発事故に代表されるように、三池炭鉱で生きた人びとの重厚な歴史がこの地には堆積している。学校教育や生涯学習の現場で世界遺産のストーリーを取り扱う際に、これら多様な歴史をどのように位置づけていくのかが今後の課題となるだろう。

現在、大牟田市と荒尾市の小中学校では、「総合的な学習の時間」等で三池炭鉱に関する学習が行われている。特に、大牟田市立駛馬小学校と荒尾市立万田小学校では、宮原坑と万田坑でそれぞれボランティアガイドの実践に取り組んでいる。両校の児童たちは三池炭鉱について学んだ成果をもとにガイド用の原稿や資料等を作成し、施設を訪れる観光客や修学旅行生に向けて定期的にガイドを行っている。

また、生涯学習の領域においても、三池炭鉱の歴史を学び、伝える様々な活動が行われている。一例として、NPO法人大牟田・荒尾炭鉱のまちファンクラブと大牟田市石炭産業科学館が中心となり、「三池炭鉱掘り出し物語」という連続講座が毎年開催されている。三池炭鉱で働いていた人や関係者たちが講師として登壇し、労働の現場や炭鉱住宅での暮らし、様々な出来事などをテーマに当事者としての経験を語ってもらうことで、三池炭鉱に関する多様な物語を掘り起こし、今後に継承していくことを目的としている。

このような学校教育や生涯学習の活動のなかから、三池炭鉱とそこで生きた人びとの歴史を風化させることなく、その多様な歴史に寄り添い、次の世代へと継承する担い手たちが育っていくことを願う。

（山田雄三）

参考文献

・荒尾市史編集委員会編『荒尾市史』（荒尾市、二〇一二年）
・大牟田市史編集委員会編『大牟田市史　中巻』（大牟田市、一九六六年）
・上妻幸英『三池炭鉱史』（教育社、一九八〇年）
・大牟田市「大牟田市の近代化産業遺産ホームページ」（https://www.miike-coalmines.jp/）

三角西港＊
（「明治日本の産業革命遺産」
世界遺産協議会提供）

熊本県

三角西港（みすみにしこう）

明治期の港湾施設の姿を現代に伝える国内唯一の場所

◉歴史

三角西港は、宮城県の野蒜築港、福井県の三国港とともに「明治三大築港」と呼ばれている。殖産興業政策に基づき国費を投じて建設された国内最初期の近代港湾施設であり、当初は「三角港」の名称で明治二〇年（一八八七）に開港した。

三角港の築港計画の端緒となったのは、明治一三年（一八八〇）一〇月に熊本県議会議長の白木為直ら有志七八名が熊本県令（当時の県知事）の富岡敬明宛に提出した「港湾修築建言書」であった。この建言書は、熊本市街地の西方、坪井川河口に位置する百貫石港の修築を国の補助事業として取り組むことを進言するものであった。元来、熊本県は有明海に面しながら良港に恵まれず、物流の拠点となる貿易港を築港し産業の振興をはかることは当地域の喫緊の課題であった。

富岡敬明は明治一〇年（一八七七）の西南戦争で荒廃した熊本の復興に尽力した人物である。富岡はこの建言に対してすぐに手続きを進め、内務省より港湾

data

①〒869-3207熊本県宇城市三角町三角浦②0964-32-1954（宇城市文化スポーツ課文化財世界遺産係）③https://www.city.uki.kumamoto.jp/nishiko/④午前9時～午後5時まで⑥無料⑦宇城市⑧車の場合、九州自動車道松橋ICから国道57号経由で50分、JR三角駅で下車した場合、産交バス「三角営業所」で乗車（約10分）「三角西港前」下車すぐ。

修築費の三分の一を国費から補助することと、土木技師を派遣することの内示を受けた。なお、国の補助事業として築港計画を進めることが認められたのは、政府も三池炭鉱の石炭を搬出する新港の建設を求めていたという背景もあったと考えられる。

明治一四年（一八八一）一一月、内務省から派遣されてきたオランダ人水理工師ローエンホルスト・ムルドルは百貫石の調査に着手した。ムルドルは調査の結果、百貫石は周辺の河川からの流出土砂が堆積し、遠浅で大型船が碇泊するのに必要な水深を確保することが困難であることなどから、築港に不向きであると進言した。

その後ムルドルは百貫石に代わる適地を探すなかで、宇土半島の西端の三角の地こそが、有明海と八代海を結ぶ

三角西港（出典：Photolibrary）

海峡に位置し、周囲は山に囲まれ風浪が少なく、湾内の水深は一二〇尺（約三六メートル）あり大型船も碇泊できることから、築港の場に相応しいと結論づけた。ただし、熊本市街地から四〇キロメートル余りも離れ、加えて宇土半島は西に進むにつれて山が険しく道らしい道もないという難点があったが、ムルドルは新しい道路を建設することで克服できると主張した。明治一六年（一八八三）の県会で三角築港着手の是非が審議され二四対八で可決すると、ただちに内務省に上申し認可を得た。

明治一七年（一八八四）三月に熊本と三角をつなぐ道路工事に着手し、同年五月から港湾工事も始まった。ムルドルの設計に基づく築港計画は、埠頭にとどまらず、その後背地の街路、排水路、橋などの整備も含めた総合的な港湾都市建設事業であった。港湾工事には天草の石工が多数参加し、その指揮にあたったのが大浦天主堂の施工を手がけた天草出身の棟梁・小山秀であったと言われている。富岡敬明もほぼ毎日のように退庁後に工事現場を訪れ、工事を督励して回ったと伝えられている。また、道路の開削や石の切り出し、埠頭建設等に熊本監獄の囚人三〇〇人余りが使役され、うち六九名が命を落としたことが記録されている。

明治二〇年（一八八七）六月、総工費三〇万二〇六八円（うち道路工事費一九万二三六七円）、約三年の歳月をかけて三角港は完成、同年八月に開港式が盛大に行われた。

その後、三角港は明治二二年（一八八九）に五品目（米・麦・麦粉・石炭・硫黄）の特別輸出港に指定され、一八九三年（明治二六）からは三池炭の積出港であった口之津港の補助港としての役割も担い、一時期、三池炭鉱の石炭は同港を経由して上海等に輸出された。さらに、明治三二年（一八九九）には開港場に指定され、全ての貨物を扱うことができる貿易港となった。明治三九年（一九〇六）の統計によると、熊本県内の港湾取扱貨物価格のうち三角港が全体の六五・三パーセントを占めており、九州西海岸における貨物の一大集散地としての機能を果たしていたことがわかる。

都市の整備も進められ、警察署、長崎税関三角出張所、三角裁判所、宇土郡役所などの施設が次々に設置された。また、埠頭沿いには白壁の倉庫が、市街地には瓦葺二階建ての商店、宿屋、廻船問屋などが整然と建ち並んだ。築港以前は一漁村に過ぎなかった三角は行政と経済の中心地として発展していった。

しかし、三角港の繁栄は長くは続かなかった。明治三二年（一八九九）に開業した九州鉄道三角線の終点となる三角駅が際崎に置かれたことを契機に、際崎港（後の三角東港）が新たな貿易港として整備が進められると、三角港は徐々に衰退していった。

◉世界遺産としての価値

三角西港は、①三池炭鉱の石炭の輸出港として日本の重工業の発展に貢献したこと、②明治期の港がほぼ完全なかたちで現存していることの二つの価値が評価され、「明治日本の産業革命遺産」の構成資産として選定された。

石積水路（山田雄三撮影）

三角西港は明治二六年（一八九三）から明治三五年（一九〇二）にかけて、三池炭鉱の石炭の輸出港としての役割を果たした。三池炭鉱が面する有明海は遠浅で大型船の接岸が困難であったことから、小型船で口之津港や三角西港まで石炭を運搬し、そこで大型船に積み替えて上海等に輸出された。しかし、口之津港が整備され、さらに三池港の築港計画が進むと、三角港はわずか十年足らずで石炭の海外輸出港としての役割を終えた。現在、三角西港には当時の港湾施設がほぼ原形のまま現存しており、石炭産業の発展を支えた輸送インフラの姿を今に伝える貴重な物証となっている。

総延長七五六メートルに及ぶ埠頭は開港当時のままの姿で、現在は主に漁港として利用されている。石材には対岸の大矢野島飛岳から切り出した安山石が使われ、緻密かつ高度な石積み技術で築造されている。それまでに見られない曲線を多用した美しい形状は、ムルドルの設計と日本の伝統的な石工技術が見事に融合した結果であると言えるだろう。当時は埠頭壁の前面に三基の浮桟橋が設置されていたが、今は浮桟橋を係留するために施工された傾斜部分だけが残っている。

　同資産の世界遺産登録範囲は、埠頭だけではなく、後背の山を削り海を埋め立てて造成した港湾都市のすべてが含まれている。市街地に設けられた石積みの水路も、当時の姿のまま変わらず機能している。山地との境界に配置された後方水路が周辺からの流水や土砂を受け止め、直線にのびる三本の排水路から直接海に流れるように設計することで、百年以上にわたり市街地と埠頭を災害から守っている。さらに、排水路は潮の干満を利用して水路内が自然と浄化される仕組みになっている。これらは明治期の優れた土木技術を今に伝える生きた実例であると言えるだろう。

◉もっと深く知るために

　前述したように、際崎に三角駅が置かれたことを契機に貿易港の機能は徐々に際崎港に移り、昭和を経るなかで三角西港は漁港と化していった。際崎港は現役の貿易港として再整備が進められる一方で、三角西港は開発の対象とならなかったことが明治期の港湾施設がそのまま残る結果につながった。

　その後、昭和五八年（一九八三）に開催された「三角西港シンポジウム」を契機としてその歴史的価値が見直されるようになり、三角西港の港湾施設の保存・復元計画の策定へとつながった。昭和六〇年（一九八五）から始まる三角西港港湾環境整備事業の流れのなかで、「旧宇土郡役所」（昭和六一年、三角町修復・復元）、「旧三角海運倉庫」（昭和六二年、三角町修復）、「龍驤館」（昭和六二、三角町年修復）、「浦島屋」（平成五年、熊本県復元）、「旧高田回漕店」（平成一〇年、熊本県復元）等の保存・整備が進められ、観光港として新たに注目を集めるようになった。

　三角西港の関連施設の文化財登録等も進められた。平成一七年（二〇〇五）に三角西港の埠頭、排水路三所、道路橋（石橋）四基、後方水路が国重要文化財に指定されたのに前後して、平成一六年（二〇〇四）に「旧三角海運倉庫」と「龍驤館」が、平成一九年

（二〇〇七）に「旧宇土郡役所」と「旧三角簡易裁判所」が国登録有形文化財に登録された。さらに、平成二七年（二〇一五）に「三角浦の文化的景観」が国重要文化的景観に選定され、同年七月には「明治日本の産業革命遺産」の構成資産として世界遺産に登録された。

三角西港を教育的意義という観点からみると、第一に明治期の港湾施設と景観がほぼ原形のまま現存していることがあげられる。幕末以降の日本の産業化において港が果たした役割は大きいが、これらの港のほとんどは利用されなくなり遺構の一部を残すのみとなるか、現役の港として再整備を重ね当時の姿をとどめていないかのいずれかである。三角西港は、資料や写真を通してではなく、明治期の港の特性、土木技術、後背の都市計画等を実際に目で見て学ぶことができる国内で唯一の場所であると言えるだろう。

もうひとつあげられるのが、三角西港の盛衰の歴史そのものである。前述したように、三角西港は三池炭鉱の石炭の海外輸出港としての役割を期待されたことを背景のひとつとして、築港計画が進められた。その後、鉄道による交通網が全国に張り巡らされるなか、そこから切り離された三角西港は衰退の道を辿ることになった。三角西港に限らず、明治期の産業構造や交通体系の急激な変化は、全国の港の盛衰に大きな影響を与えることになった。明治期以降の三角西港と各地の貿易港の盛衰のプロセスを比較してみることで、「ローカル」・「ナショナル」・「グローバル」の三層が複雑に絡み合いながら、全国の物流拠点が再配置されていく道程を学ぶことができるだろう。

現在、宇城市立三角小学校では「総合的な学習の時間」の柱として三角西港をフィールドとした学習活動に取り組んでいる。三年生は現地で歴史を学ぶ、四年生はクリーン作戦（草取り）やパンフレット作りに取り組む、五年生は環境で工夫していることを調べまとめる、六年生は現地でガイドを実践するなど、全学年を通して三角西港に関わりつづけ、愛着と理解を深めていくよう設計されている。令和三年（二〇二一）からは、同じように三池炭鉱万田坑をフィールドに学習とガイドの実践に取り組む荒尾市立万田小学校とのあいだで交流学習が始まり、その翌年には両校の児童が相互に世界遺産施設を訪れ、現地の児童によるガイドを体験したのち振り返りの学習会を行うという取組みも行われた。

三角小学校の取組みにみられるように、ローカルな歴史を起点として、ナショナル、さらにはグローバルなつながりへと視野を広げていくことで、同じような（または関連する）テーマに取り組む遠隔の学校や団体とも交流を深め、学び合う機会を拡張していくことができる。コロナ禍でのオンライン授業の普及により、このような可能性はますます広がっている。ローカルな歴史から始まるつながりの射程そのものが、その地域の教育資源になり得ると言えるだろう。（山田雄三）

参考文献

・三角町史編纂協議会専門委員会編『三角町史』（三角町、一九八七年）
・星野裕司・北河大次郎『三角築港の計画と整備』（『土木史研究論文集』二三号、二〇〇四年）
・宇城市「三角西港　歴史・文化財指定」（https://www.city.uki.kumamoto.jp/toppage/nishiko/nishiko_rekishi/2017044）

官営八幡製鐵所（1900年）
（日本製鉄（株）九州製鉄所提供）

官営八幡製鐵所（かんえいやはたせいてつじょ）

そびえる高炉は地域の象徴

◉歴史

　明治維新を迎えて三〇有余年。日清戦争を契機にした急速に進む近代化の波は、鉄鋼の需要を急速に拡大させていた。当時、鉄鋼は外国からの輸入に依拠する部分が多く、その輸入拡大は、我が国の財政を圧迫していた。その中で官営八幡製鐵所は、財政圧迫の解消とともに、民間の製鉄所に対する模範としての役割を果たすこと（長野二〇〇三）を目的として計画された。多くの期待を受けて一八九六年四月一日に農商務大臣の管理下の製鉄所として発足した。製鉄所の立地として、筑豊炭田という石炭の大産地に隣接し、将来的な大陸への輸出をも視野に入れて、北九州の八幡の地が選定された。

　当時釜石での成功例はあったものの、製鉄業は非常に困難な事業であり、大規模な製鉄所の建設・操業には外国からの技術移転が必要不可欠と考えられていた。この技術移転に大きくかかわったのが、「日本近代製鉄の父」と言われた大島高任の子であった大島道太郎である。大島は技監として、溶鉱炉や機器の発注および、御傭外国人の選定を委任されており、アメリカや欧州を歴訪して、各国の鉄鋼業の様相を視察した。そしてドイツのそ

data

【官営八幡製鐵所旧事務所眺望スペース】①〒805-0071 福岡県北九州市八幡東区東田5丁目②093-582-2922（北九州市企画調整局総務調整部総務課）③https://kitaq-whs.jp/about/spot/④9時30分～17時（入場は16時30分まで）⑤毎週月曜日（月曜日が祝日・休日の場合はその翌日）、年末年始（12月29日～1月3日）⑥無料⑦日本製鉄株式会社⑧JRスペースワールド駅より徒歩10分。⑨眺望スペースから外観を見学することができる。

れが最も日本の実情に適していると判断し、設計・機器・御傭外国人すべてがドイツという製鉄所が誕生することになった。特筆すべきは、第九回帝国議会で挙げられた、製鉄所の建設・設立にかかわる約四〇九万円という総予算の内訳である。予算の約四パーセントがたった一〇名程度の外国人技師（製鉄所長官の年俸が四〇〇〇円であるのに対し、外国人顧問技師の年俸は一九二〇〇円であった）の人件費として計上されたこと

旧本事務所（現在）*（日本製鉄（株）九州製鉄所提供）
※一般非公開（眺望スペースから外観を見学することができる）

旧日本事務所（明治32年・12月建設中）
（日本製鉄（株）九州製鉄所提供）

である。いかに製鉄という技術の導入が重要視され、また困難なものと考えられていたのかをうかがい知ることができる。

こうして一九〇一年に誕生した八幡製鐵所は、御傭外国人と釜石から派遣された熟練労働者のもと操業を始めた。しかしながら、原料の違いなどから多くの困難に直面し何度も操業を停止した。一九〇四年に嘱託顧問となった野呂景義によって、日本人技術者の手による設計の見直しと製鉄所の改造が行われ、ようやく製鉄所の操業は軌道に乗ることになった。その後、一九一〇年には、国内の銑鉄の約七割、鉄鋼の約九割を単独で供給するようになった。八幡製鐵所はその後の造船などの日本の重工業分野の発展を支えるとともに、現在に至るまで地域の発展に大きく貢献していった。まさに北九州市のシンボルであった。

修繕工場（現在）*（日本製鉄（株）九州製鉄所提供）
※一般非公開

修繕工場（1910年）（日本製鉄（株）九州製鉄所提供）

しかし、人々が八幡製鐵所と聞いて思い浮

かべるシンボルは、天高くそびえたつ東田第一高炉である。同施設は、経済産業省「近代化産業遺跡群」、日経「日本の近代遺産五〇選」にも選ばれた「産業遺産」である。北九州市の文化財として史跡整備も行われている。一方で世界遺産に指定された、旧本事務所、修繕工場、旧鍛冶工場は、世界遺産であっても市の指定文化財にはなっていない（二〇二一年八月現在）。その背景には、これらが従来非公開施設であったこと

旧鍛冶工場（現在）*（日本製鉄（株）九州製鉄所提供）
※一般非公開

旧鍛冶工場（明治32年・3月22日建設中）
（日本製鉄（株）九州製鉄所提供）

と、これらの施設の一部がまだ現役で稼働しており、現状維持が前提となる「文化財」となることが難しいということもあるだろう。北九州市は、門司港レトロ地区などの整備を進めてきたが、製鉄所の敷地内にあるこれらの施設についても、これから日本製鉄と協議しながら保護・保全活動が模索されることになる。

◉世界遺産としての価値

八幡製鐵所の創業には、ドイツ人技師の力が確かに必要であった。しかし、多くの技師が任期満了を待たず解任されていることや、日本人技術者による改良が加えられている点からは、日本人技術者の知識や技術がドイツ人技師に比肩する水準にまで磨き上げられ、もはやその助けを必要としなくなっていったということを伺わせる。八幡製鐵所は、西洋の技術によって産声を上げ、日本人の手によって育まれたのである。まさに「明治日本の産業革命遺産」の最終章を飾るに相応しいサイトであるといえる。

またこのような歴史的な背景を抜きにしても、長官室や技監室、外国人顧問技師室などが置かれた旧本事務所、傭外国人によって西洋の技術が伝えられた旧鍛冶工場などは、ドイツのグーテホフヌンクスヒュッテ社の設計と鋼材で建設された日本最古のスチール構造の建物である。現在も現役の施設として稼働している修繕工場はそれぞれが往時の姿をとどめた歴史の証人としての素晴らしい価値を持っている。

◉もっと深く知るために

北九州市では、東田第一高炉が平成八年に市の指定文化財に登録され、「産業遺産」として市民の関心を集めてきた。これを受けて平成一九年に北九州イノベーションギャラリー(北九州産業技術保存継承センター)が設立され、子供向け教育プログラムの題材として八幡製鐵所が取り入れられてきた。また世界遺産への指定に前後して、平成二六年より北九州市民カレッジにおいて、八幡製鐵所にスポットを当てた講座が開設された。北九州イノベーションギャラリーにおいては、特別展（官営八幡製鐵所の歴史紹介、二〇一六年四月～二〇一七年三月）も開催された。八幡製鐵所は学校教育・生涯学習の一つの題材として活用されている。

一方で旧本事務所、修繕工場、旧鍛冶工場といったサイトに対する周囲の関心は高いものであったとはいいがたい。八幡製鐵所といえば、あくまでも主役は東田第一高炉であった。北九州市においては、門司港レトロ地区が明治日本を感じさせる場所の代表であり、観光資源として重要視されてきたのである。またサイトの管理者である日本製鉄のHPにおいてはサイトの紹介も行われていない（二〇二一年八月時点）。これらのサイトが現役の企業の施設という側面が強い。企業秘密を守るため（東洋経済オンラインHP）、工場内での来訪者の安全を確保するためにも必ずしも多くの観光客の来訪が歓迎されているわけではないためであろう。

しかし八幡製鐵所に対する地域の関心は高い。それは地域住民の多くが製鉄所の従業員や関連する企業に勤務していたことはもちろんあろう。また、北原白秋作詞の八幡市（現北九州市）の市歌や、同じく白秋の「鉄の都」にみることができるように、八幡製鐵所の繁栄は八幡・北九州の繁栄であった。

この地域の関心は、往時を知る人々にとってのものであり、若者にとってはその限りではないかもしれない。けれども八幡製鐵所は生活とは無縁の場所ではない。「くろがね堅パン」を食べ、鉱滓レンガの壁を見ながら育ち、成人式をスペースワールド（二〇一七年末で閉園）で迎えた若者は多いはずである。今後はこれらを踏まえて、実は身近な八幡製鐵所といった視点からの生涯学習教育の充実が望ましいものと考える。

現在設置された眺望スペースは、一〇〇メートル先にわずかに旧本事務所を望むことができるのみである。構内見学も、機密保持・安全確保の観点からJTBによる一日二便、八〇分程度のツアーに限定されている（二〇二一年八月現在、旧本事務所内の内装工事に伴い休止中）。旧本事務所には入ることができるものの、現役の施設である修繕工場と旧鍛冶工場については、車窓からのみの見学に限定されている。関連施設である「スペースLABO　ANNEX」や「東田第一高炉跡」、ユネスコ無形文化財に指定された「山・鉾・屋台行事」の「戸畑祇園大山笠行事」、北九州市立いのちのたび博物館、北九州ジオパーク構想に挙げられる平尾台や曽根干潟などを組み合わせた包括的なツアーを構想して、魅力ある北九州市という形での発信が重要になるだろう。

（神野晋作）

参考文献

・荻野喜弘「官営八幡製鐵所における傭外国人」（『福岡県史』近代資料編　八幡製鐵所（一）、二〇〇五年）
・加藤康子『明治日本の産業革命遺産＝Sites of Japan's Meiji industrial revolution：製鉄・製鋼、造船、石炭産業：世界遺産推薦書ダイジェスト版』（二〇一〇年）
・小林正彬『八幡製鐵所』（一九七七年）
・長島修「外国人のみた創立期官営八幡製鐵所」『立命館国際研究』一八―一（二〇〇五年六月）
・長野暹編『八幡製鐵所史の研究』（二〇〇三年一〇月二五日）
・内閣官房産業遺産の世界遺産登録推進室「我が国の推薦資産に係る世界遺産委員会諮問機関による評価結果および勧告について」（二〇一五年五月四日）
・開田一博「鋼構造創成期における工場建築等の設計と建設」（『新日鉄住金技報』第四〇五号、二〇一六年）
・安永渡平編『八幡製鐵所五十年誌』（一九五〇年一一月一八日）
・公益社団法人日本ユネスコ協会連盟（http://www.unesco.or.jp）
・経済産業省　近代化産業遺跡群33（http://www.meti.go.jp/policy/local_economy/nipponsaikoh/pdf/isangun.pdf）
・日経　日本の近代遺産50選（http://www.adnet.jp/nikkei/kindai/47/）
・明治日本の産業革命遺産（http://www.japansmeijiindustrialrevolution.com/index.html）
・松浦大「企業機密か観光か、悩める八幡の〝世界遺産〟」東洋経済ONLINE（http://toyokeizai.net/articles/-/74856）

遠賀川水源地ポンプ室（現在）*
（日本製鉄（株）九州製鉄所提供）
※一般非公開
（眺望スペースから外観を見学することができる）

福岡県

遠賀川水源地ポンプ室（おんがかわすいげんちぽんぷしつ）

生きている世界遺産としての困難に挑む

◉歴史

一九〇六年、八幡製鐵所の第一期拡張工事案が提出されると、新たな水源の確保が急務となった。そこで設立されたのが遠賀川水源地ポンプ室である（一九一〇年操業開始）。製鐵所のあった八幡まで水を引くという遠賀川水源地ポンプ室の建設は、鋼材生産の要である高炉の増設に匹敵する予算を割り当てられた大事業である。それは大規模な工業用水の確保を目指す日本初のプロジェクトであった。

このプロジェクトは三人の人物によって主導された。一人目は、日本近代水道の父と言われる中島鋭治である。中島は東京帝国大学理学部土木学科を首席で卒業して、同学部の助教授となった俊才であった。欧米留学経験から欧米の水道事業についても知るこの分野の第一人者であった。帰国後の中島は、東京市の水道事業の指揮を行い、大韓帝国の依頼で平壌や釜山の水道事業にも携わるなど各地で手腕を発揮していた。八幡製鐵所における具体的な職務は不明であるものの、三年間の雇用期間に対して、高額の慰労金が支払われている。こ

data
①〒809-0033福岡県中間市土手ノ内1-3-1②093-245-4665（中間市地域交流センター）④敷地外にある眺望スペースは無休⑥無料⑦日本製鉄株式会社⑧JR筑豊本線・筑前垣生駅から徒歩約5分⑨非公開施設、敷地外にある眺望スペースから建物外観を見学できる。

のことからも、送水システム設計にあたり重要な役割を果たしたと考えられている。二人目は、測量や工事、外部との折衝などの実際の作業を担当した亀井重麿（継雄）である。亀井は、イギリス陸軍工兵大佐パーマーの下で、日本初の近代的な水道事業であった横浜市の水道管敷設事業に従事した。この事業で、亀井は水道管の敷設に関する技量をパーマーから高く評価され、その後も函館水道などの事業に推薦されている。その後、二四歳で職を辞し、当時土木科が開設されたばかりであった攻玉社専修へと入学している。卒業後は、工手学校（工学院大学）の講師などを務め、多くの著作を残している。実務・理論ともに第一人者であったと考えられる。製鐵所の事業が具体化した一九〇六年には、中島が建設を推進した東京市淀橋浄水場の浄水課長を務め

ている。多忙な中島に代わって水道にかかわる多様な業務を任されていた。中島が雇用された直後に亀井も「遠賀川水道工事主任技師」に任命されるなど中島の信頼が篤かったことがみてとれる。亀井の豊富な実務経験は一〇キロメートルを超える大工事には必要不可欠なものであったであろう。三人目は、現存するポンプ室の設計と建設工事に従事した舟橋喜一である。舟橋は、工手学校を卒業したのち、片山東熊の下で宮内省内匠寮に在籍して現在の赤坂御所や奈良国立博物館の建築工事などに従事した。その後、帝国大学や農商務省へと出向し、製鐵所本事務所の設計に関わったとされる山口半六の推薦で一度、製鐵所に雇用されている。その後、片山が行っていた東宮御所御造営局に転出したのち、アメリカに留学して建築術を学んだ。舟橋建築工務所を設立した直後に製鐵所からの依頼を受けている。この三名の力で遠賀川水源地ポンプ室および、八幡製鐵所への送水システムは完成した。

実際の送水システムは、取水口（当初は井戸）からポンプで取水したのち、沈砂池を経て再びポンプで上の原調整池に送水する。この貯水池から製鐵所内の鬼ケ原調整池へ自然流下で送水するものであった。また日本初の町営水道である若松水道にも分水され、北九州地区の伝染病の予防に貢献した。この遠賀川水源地ポンプ室の心臓部となったのが、イギリスから輸入された蒸気ポンプとボイラーであった。ポンプの動力は石炭であり、水源地ポンプ室の敷地内からは石炭卸場やトロッコレール跡と思われる遺構が発見されている。

ポンプ室は、インチサイズの規格で制作され、日本ではあまり主流でなかった屋根の構造であるフィンクトラス形式を採用するなどアメリカの建築様式がみられる（開田 二〇一二ほか）。また、「およそ八幡の中心地からかけ離れたポンプ室としては場違いとも言える意匠性の高」さや、「窓のディティールからは旧本事務所を彷彿とさせる」と指摘されている（筑豊近代遺産研究会・北九州地域史研究会編 二〇〇九）。設計を行った舟橋の経歴や山口との関係を伺うことができる。またその建屋は、耐久性に優れた「イギリス積み」と呼ばれる技法を用いて建てられている。注目すべきはその煉瓦の種類である。遠賀川水源地ポンプ室では、八幡製鐵所で生み出された鉱滓を再利用した鉱滓煉瓦が建物の四隅やアーチ、円形窓や屋根を縁取るアクセントとして用いられている。鉱滓煉瓦はすでに生産を終えているが、現在でも北九州地域では古い建物や塀などに見ることができ、この地域の景観的特徴の一つを構成するものといえよう。

　現在、建物の屋根などは改修されているが、多くは

遠賀川水源地ポンプ室（現在）*
（日本製鉄(株)九州製鉄所提供）※一般非公開

（遠賀川水源地ポンプ室）ポンプ（1910年）
（日本製鉄(株)九州製鉄所提供）

往時の姿を現在に伝えるような修繕が行われている。またポンプは一九五〇年に蒸気式から電動へと変化したが、現在でも八幡製鐵所で一日に必要とされる水の三割に当たる約一二万トンを送水している。一方で現役の施設としての役割を果たすためには、設備の改修は不可欠である。どのように現状を保ちながら、現役施設としての役割を果たすのかは今後の大きな課題であるといえよう。

遠賀川水源地ポンプ室の稼働によって、八幡製鐵所は一九一〇年までに当初の目標であった年間六万トンを大きく上回る一五万トンの鋼材の生産を達成した。この鋼材の安定的な供給によって、日本の重工業は大きく発展し明治日本の産業革命は達成されたのである。

◉世界遺産としての価値

遠賀川水源地ポンプ室は、日本と欧米の双方に学んだ日本人によって生み出された。また、ポンプ室は、耐久性に優れた「イギリス積み」とアメリカの建築様式で建設され、その心臓部にはイギリス製のポンプが採用された。一方で建築に用いられた部材には、八幡製鐵所で生み出された鉱滓煉瓦や、八幡製鐵所や釜石製鐵所で製造された鋳鉄管を水道管として採用している。遠賀川水源地ポンプ室は、西洋の技術移転の証言者であるとともに、我が国の重工業の萌芽をその身に宿しているのである。また設立当時から現在に至るまでの継続的な使用が認められているという意味で、希少な価値を有している。

◉もっと深く知るために

遠賀川水源地ポンプ室についての研究や調査は始まったばかりであり、一般にはあまり知られていなかった。そのため中間市では、サイトに近接する地域交流センターに展示室を設け、サイトから出土した煉瓦や当時の内部の様子など貴重な資料を展示している。また市のマスコットキャラクターである「なかっぱ」を用いた子供向けのパンフレットを作成するなど、幅広い年代への教育・普及活動が行われている。

その一方で、観光資源としては課題が残されている。市は、眺望スペースを設けて外部からの見学を可能にしているが、周辺は住宅地に隣接している。いかに周辺住民の方々の生活を守るのか、世界遺産を見学に来る我々のマナーが問われるところである。

（神野晋作）

参考文献

・片野博「遠賀川水源地ポンプ室の建築的特徴」（『官営八幡製鐵所遠賀川水源地――遠賀川水源地ポンプ室第1・2次調査』中間市重要産業遺跡関係調査報告書第一集、二〇一四年）
・清水憲一「官営八幡製鐵所遠賀川水道・ポンプ室の歴史的意義」（『官営八幡製鐵所遠賀川水源地――遠賀川水源地ポンプ室第1・2次調査』中間市重要産業遺跡関係調査報告書第一集、二〇一四年）
・筑豊近代遺産研究会・北九州地域史研究会編『ポケット版北九州・筑豊の近代化遺産100選』（弦書房、二〇〇九年）
・中間市『官営八幡製鐵所遠賀川水源地――遠賀川水源地ポンプ室第1・2次調査』（中間市重要産業遺跡関係調査報告書第一集、二〇一四年）
・長谷川博「明治期の攻玉社――亀井重麿を中心として」（『第9回日本土木史研究発表会論文集』、一九八九年）
・開田一博「鋼構造創成期における工場建築等の設計と建設」（『新日鉄住金技報』第四〇五号、二〇一六年）
・津田大資「日本の源流を訪ねて　今なお現役　遠賀川水源地ポンプ室」産経ニュース（http://www.sankei.com/region/news/150512/rgn1505120015-n1.html）
・明治日本の産業革命遺産（http://www.japansmeijiindustrialrevolution.com/site/yawata/component02.html）
・わが街いいトコ!!　中間市の歴史・名所（http://www.citydo.com/prf/fukuoka/nakama/citysales/03.html）
・渡辺パイプ株式会社　水の働き Water WORKS VOL.18 隠れた水の配達人（http://www.waterworks.co.jp/vol18/page4.html）

祐岡武志

もっと深く知るために

広げる！　感じる！　世界遺産!!

なぜ、世界遺産は人を惹きつけるのでしょうか。本稿では、読者の皆さんが知っているつもりになっている事実を、「広げる」「感じる」をキーワードに深めることで、さらに世界遺産の魅力に迫ってみたいと思います。

ここまで読み進めてこられた方々は、「明治日本の産業革命遺産——製鉄・製鋼、造船、石炭産業」についての大まかな特徴はご理解いただいたと思います。しかし同時に、新たな疑問も生まれたのではないでしょうか。その疑問を手掛かりに、より理解を深めていきましょう。

一　広げることで見えてくる世界遺産への問い

ここでは、世界遺産の特徴について、「なぜ?」と問うことから迫ってみたいと思います。

世界遺産は二〇二一年八月には世界で一一五四件、日本では二五件まで増えています。日本でも、二〇二一年に「奄美大島、徳之島、沖縄島北部及び西表島」が自然遺産として、「北海道・北東北の縄文遺跡群」が文化遺産として、新たに世界遺産へ登録されました。なぜ二つも登録されたのでしょう。それは新型コロナウイルスの感染拡大により、二〇二〇年開催予定の第四四回世界遺産委員会が二〇二一年まで延期され、二〇二〇年に審議予定の物件に加え、二〇二一年の物件も合わせて審議されたからです。日本では、「奄美大島、徳之島、沖縄島北部及び西表島」が二〇二〇年の、「北海道・北東北の縄文遺跡群」は二〇二一年の審議対象だったのです。世界遺産委員会は毎年一回、会場を各国が持ち回りで開催されますが、延期は異例です。実は二〇二二年の第四五回世界遺産委員会も、開催が延期されています。なぜでしょう。その理由は開催地がロシアのカザンで、議長国がロシアだからです。通常、前年の世界遺産委員会で次の開催地が決定しますが、二〇二一年七月にはロシアのウクライナ侵攻は考えられなかったのです。世界遺産委員会はユネスコ（国際連合教育科学文化機関）が管轄していますが、コロナ禍による会議延期もさることながら、戦争を理由とした延期は、平和を希求するユネスコとしても残念なことだと思います。

コロナ禍前のインバウンドでは、東京と大阪に加え、京都や広島などが外国人旅行者に注目されています。特に、広島市中心部でホテルの需要が急増していることがニュースで報道されていました(1)。それはなぜでしょう。京都は世界遺産として日本文化を象徴する一七件の社寺や庭園が有名であるのに対して、広島には「広島平和祈念碑（原爆ドーム）」と「厳島神社」の二つの世界遺産があります。しかし、この広島の世界遺産二件は、特徴が全く異なります。それを同時に感じることができるため、外国人旅行者を惹きつけるのだろうと考えられます。では、両者の違いはなんでしょうか。「原爆ドーム」は核兵器の脅威を伝え、世界平和を目指す活動の記念碑として世界で無二の建造物で「負の遺産」[2]として世界の耳目を集めています。対して「厳島神社」は自然崇拝に基づく海と山と神社建築が一体化した神道を代表する建造物であり、日本の文化の一端を代表することといえるでしょう。余談ですが、日本でも人気のフランスの世界遺産「モン・サン＝ミッシェル」と「厳島神社」は二〇〇九年（平成二一）モン・サン＝ミッシェル市と廿日市市で観光友好都市提携を結んでいます。[3]二〇一九年（令和一）はその一〇周年にあたり、モン・サン＝ミッシェルの傍の砂浜に厳島神社を模した鳥居が建てられていました（写真①）。海と山と建造物の調和が特徴の二つの世界遺産が

写真①　モン・サン＝ミッシェルと浜辺の鳥居（祐岡武志撮影）
厳島神社を模した鳥居には、「10ANS(10年)」と掲げられていました。

両市を結びつけているのです。
このように、個々の世界遺産には魅力的な特徴があります。

（1）空間と時間から世界遺産を広げる

①世界遺産と空間

世界遺産として世界遺産委員会で認められるには、様々な条件があります。全部で十個ある登録基準[4]は有名ですが、世界遺産リストへ自国の遺産を登録推薦する条件として、「不動産であること」があげられます。つまり、土地や建物などに限られ、移動可能なものは、基本的に世界遺産とは認められないのです。

具体的な例として私がよく紹介するのは、東大寺の大仏と興福寺の阿修羅像です。東大寺と興福寺はどちらも世界遺産「古都奈良の文化財」の物件[5]で、大仏と阿修羅像は大きさこそ異なりますが、どちらも仏像です。しかし、東大寺の大仏は大きすぎるため、大仏殿（東大寺の金堂）から移動することは不可能です。このため、東大寺の大仏は不動産として世界遺産の範疇に含めて良いと考えられます。これに対して、同じく世界遺産の興福寺が所蔵する阿修羅像は移動が可能です。実際、二〇〇九年（平成二一）興福寺創建一三〇〇年を記念して、「国宝　阿修羅展」が東京と福岡で開催され、阿修羅像を含めた八部衆像と十大弟子像の全一四体が公開されました。これらの仏像がそろって興福寺の外へ出たのは、初めてのことだったそうです。また、阿修羅像の三つのお顔や背面まで、全体を三六〇度拝観できる展示が行われたことも、大きな話題となりました。この展示を見学した東京の知人は、「世界遺産の阿修羅像を見ることが出来て良かった。」というのですが、その感動に水を差すことにいささか心を痛めながらも、「実は、興福寺は世界遺産ですが、阿修羅像そのものは世界遺産ではないんですよ」と説明をしました。もちろん、世界遺産でなくても、阿修羅像は素晴らしい仏像で、その価値が損なわれるわけではありません。

阿修羅像の話はさておき、世界遺産は不動産であることから、それが存在する空間、すなわち風土と切り離せない存在なのです。つまり世界遺産は、それ自体が地域の文化や人々の生活を示すものであるといえるでしょう。このため、世界遺産を深く知る（感じる）には、自らその地を訪れる必要があるともいえます。

②世界遺産と時間

世界遺産の根本的な定義として、「顕著な普遍的価値があること」があげられます。これは、国家の枠組みを越え、人類にとって現在だけでなく将来世代にも共通した重要性をもつような、傑出した文化的な意義や自然的な価値を意味します。[6] つまり、普遍的な価値が明確に示されないものは、世界遺産とは認められないのです。では、この「顕著な普遍的価値」とは何を指すのでしょうか。

具体的な例として紹介するのは、パルテノン神殿と法隆寺です。ギリシアの世界遺産「アテネのアクロポリス」のパルテノン神殿は、その列柱による均整の取れた建築様式が、後にヨーロッパをはじめとする様々な建築の理想形とされたことが「顕著な普遍的価値」とされます。日本の世界遺産「法隆寺地域の仏教建造物（群）」の法隆寺であれば、金堂や五重塔、中門などが現存する世界最古の木造建築物であることが「顕著な普遍的価値」にあたります。つまり、他では見られない唯一無二の世界的な価値を持っているかどうかが問われるのです。もう少し詳しく説明すれば、法隆寺が世界最古級の仏教寺院として世界遺産に認められているため、これ以降は、同様の特徴を持つ古い寺院建築は、世界遺産として認定されないのです。私が聞いた話としては、「日光の社寺」が日本の山岳信仰を象徴する世界遺産として認められたことから、奈良県の吉野町も同じ山岳信仰の聖地として登録を目指したところ、日光の山岳信仰と同じでは認められないため、吉野の修験道の独自性を示す必要があったというのです。結局、紀伊山地における山岳信仰の聖地への巡礼が鍵となり、二〇〇四年（平成一六）「紀伊山地の霊場と参詣道」として、和歌山県の高野山と三重県の熊野三山を含め、吉野・大峯の山岳信仰が世界遺産に登録されたのです。

　このように、「顕著な普遍的価値」によって、それぞれの世界遺産がもつ歴史的背景、すなわち時間が育んだ歴史や文化が大きな価値を持つことが分かります。つまり、世界遺産は地域の歴史や文化と切っても切れない関係にあるのです。しかし、注意すべきは、「顕著な普遍的価値」は我々が普段、世界遺産と向き合う際には分かりにくいことです。その歴史的文化的背景は専門家でなければ知らないことが多く、一般の人々は積極的に知ろうとしなければならないのです。このため、個々の世界遺産が持つ「顕著な普遍的価値」にまで、視点を広げることが重要となります。

（2）空間と時間から広げる「明治日本の産業革命遺産」

先に述べたように、空間と時間から世界遺産が本来持っている特徴に迫ることができます。では、「明治日本の産業革命遺産」はこの空間と時間にどのように位置づけられるのか考えてみましょう。

まず空間については、「明治日本の産業革命遺産」は日本では初めてのシリアル・ノミネーションによる世界遺産だということです。特定の地域や都道府県に範囲が限定されたこれまでの日本の世界遺産とは異なり、九州と山口県の資産を中心としながらも、東海の静岡県や、東北の岩手県まで分布しています。このように、広範な地域に分散する資産を統一した基準（顕著な普遍的価値）で登録することをシリアル・ノミネーション（シリアルとは連続、ノミネーションは推薦・指定の意味）と呼びます。つまり、明治期の日本の産業革命に関わる資産が、広く日本各地に広がっていることになります。

次に、時間については、明治期であることが注目されます。具体的に「明治日本の産業革命遺産」が対象とする期間は、一八五三年（嘉永六）から一九一〇年（明治四三）の半世紀余りを指します。[7] 日本史では、前者はペリーの浦賀来航、後者は日韓併合の年です。世界史でこの期間に日本との関係で注目される出来事としては、戦争では一八五六年（安政三）アロー戦争（第二次アヘン戦争）[8]、一八九四年（明治二七）日清戦争、一九〇四年（明治三七）日露戦争があります。この時代は、いわゆる欧米列強が海外進出を進めた時期で、日本もそれに追従していきます。また、イタリア王国（一八六一年）やドイツ帝国（一八七一年）が成立し、南北戦争（一八六一～六五年）を経たアメリカ合衆国が国内的な統一を成し遂げるなど、欧米諸国が近代的な国家を形成した時期でもあります。産業革命の視点では、一九世紀後半は、イギリスのロンドンやフランスのパリで、たびたび万国博覧会が開催され、各国の産業発展の成果が全世界に発信された時期とも重なるのです。[9]

つまり、「明治日本の産業革命遺産」は、空間的には日本各地に広がるとともに、産業革命に関わる遺産としては、世界にまで広がります。時間的には、明治維新前後の日本の近代国家の形成は、欧米諸国の近代国家の形成と時期が重なるのです。次に、日本と世界の関係に広げることで、「明治日本の産業革命遺産」について深めてみましょう。

二　日本で広げる「明治日本の産業革命遺産」

(1)「明治日本の産業革命遺産」の広い空間

これまでも述べてきたように「明治日本の産業革命遺産」はシリアル・ノミネーションによって構成されています。具体的には、二三の資産が八つのエリアの一一サイトに分布しているのです。それを所在地（県・市）別に表にすると、次のようになります。[10]

所在地	エリア	サイト	構成資産
岩手県（釜石市）	釜石	橋野鉄鉱山	○橋野鉄鉱山
静岡県（伊豆の国市）	韮山	韮山反射炉	○韮山反射炉
山口県（萩市）	萩	萩の産業化初期の遺産群	○萩反射炉 ○恵美須ヶ鼻造船所跡 ○大板山たたら製鉄遺跡 ○萩城下町 ○松下村塾
福岡県（北九州市・中間市）	八幡	官営八幡製鐵所	○官営八幡製鐵所 ○遠賀川水源地ポンプ室
佐賀県（佐賀市）	佐賀	三重津海軍所跡	○三重津海軍所跡
長崎県（長崎市）	長崎	長崎造船所	○小菅修船場跡 ○三菱長崎造船所第三船渠 ○三菱長崎造船所ジャイアント・カンチレバークレーン ○三菱長崎造船所旧木型場 ○三菱長崎造船所占勝閣
		高島炭鉱	○高島炭坑 ○端島炭坑
		旧グラバー住宅	○旧グラバー住宅
福岡県（大牟田市） 熊本県（荒尾市）	三池	三池炭鉱・三池港	○三池炭鉱・三池港
熊本県（宇城市）		三角西港	○三角西港
鹿児島県（鹿児島市）	鹿児島	旧集成館	○旧集成館 ○寺山炭窯跡 ○関吉の疎水溝

この表では、八幡や三池のように、複数の市にわたって構成される資産があります。長崎エリアは長崎市の中に三つのサイトがあり、それぞれが造船や炭鉱など異なった特徴を持っています。岩手県や静岡県など地理的に離れている資産もあり、一見バラバラのようにも見えますが、個々の構成資産を見ると、正式名称「明治日本の産業革命遺産――製鉄・製鋼、造船、石炭産業」で示された三つの産業によってそれぞれの資産が関連づけられ、日本という空間の中で、産業発展という一つのストーリーによって結びついていることが分かります。

(2)「明治日本の産業革命遺産」の三つの時間

先にも述べたように、「明治日本の産業革命遺産」は一八五〇年代から一九一〇年までの、日本の産業発展に関する資産で構成されています。この約五〇年間を日本の産業化の視点でとらえた場合、「試行錯誤の時代」、「西洋技術導入の時代」、「日本の産業化の時代」の三つの時間(段階)に分けることができると考えます。これを、製鉄・製鋼、造船、石炭産業の三つの産業で整理すると、次の表のようになります。(11)

表中に下線部で示した鹿児島の「旧集成館」や長崎の「旧グラバー住宅」のように、複数の産業に関連するものもあれば、萩の「萩城下町」と「松下村塾」のように、産業を特定することが難しく、表に記載していない資産もあります。その点をふまえて表を見ていただくと、第一段階では、鹿児島(薩

【第三段階】 日本の産業化の時代	【第二段階】 西洋技術導入の時代	【第一段階】 試行錯誤の時代	時代
（八幡） ○官営八幡製鐵所 ○遠賀川水源地ポンプ室		（釜石） ○橋野鉄鉱山 （韮山） ○韮山反射炉 （鹿児島） ○旧集成館 ○寺山炭窯跡 ○関吉の疎水溝 （萩） ○萩反射炉 ○大板山たたら製鉄遺跡	製鉄・製鋼
（長崎） 【三菱長崎造船所】 ○第三船渠 ○ジャイアント・カンチレバークレーン ○旧木型場 ○占勝閣	（長崎） ○小菅修船場跡 ○旧グラバー住宅	（萩） ○恵美須ヶ鼻造船所跡 （鹿児島） ○旧集成館 （佐賀） ○三重津海軍所跡	造船
（長崎） ○端島炭坑 （三池） ○三池炭鉱・三池港	（長崎） ○旧グラバー住宅 ○高島炭坑 （三池） ○三角西港		石炭産業

摩藩）・萩（長州藩）・佐賀（佐賀藩）のいわゆる西南諸藩が製鉄・製鋼や造船で近代化に積極的に着手し、第二段階から第三段階にかけては、長崎エリアを中心に石炭産業や造船が盛んになっていき、八幡で製鉄・製鋼が行われることが分かります。次に、三つの産業別に見ていきましょう。

①製鉄・製鋼の近代化

製鉄・製鋼では、一八五〇年（嘉永三）に佐賀で日本初の反射炉が建設されたことを嚆矢として、萩や鹿児島が続き、幕府は直轄領であった韮山に反射炉を築いています。しかし、この時期には砂鉄を原料とする日本古来のたたら製鉄の技術が用いられ、日本刀などに用いられた純度の高い鉄を生産できる反面、生産に時間がかかり品質にばらつきがあるなど、大量生産に向きませんでした。

そこで、鉄鉱石から銑鉄を生産することを可能にしたのが、西洋の技術を導入して、鉄鉱石が豊富な釜石に建設された「橋野高炉（橋野鉄鉱山）」だったのです。一八五八年（安政四）日本で初めて洋式製鉄を可能にした釜石の技術と専門的な知識は、その後、ドイツの最新技術を導入した一九〇一年（明治三四）創業の「官営八幡製鐵所」にも受け継がれることとなるのです。このため、製鉄・製鋼では、第一段階ですでに、第二段階の西洋技術の導入も試行錯誤的に行われていたと考えられるのです。

②造船の近代化

造船では、一八五三年（嘉永六）のペリー来航により、幕府がそれまで禁じていた大型船の建造を認め、諸藩に奨励したことが契機となります。鹿児島では集成館事業により造船にも積極的に取り組んでいたことから、一八五五年（安政二）に日本初の蒸気船「雲行丸（うんこうまる）」を試作しています。萩では、「恵美須ヶ鼻造船所」で二隻の西洋式帆船の建造をしていますし、佐賀では「三重津海軍所」を開設し、一八六五年（慶応一）に、日本初の実用的な蒸気船「凌風丸（りょうふうまる）」を建造しています。これらはオランダの造船技術を参考にしたものでしたが、世界レベルの蒸気船となれば、まだ試行錯誤の段階でした。

幕府は一八五五年（安政二）に長崎海軍伝習所を開き、後の「長崎造船所」となる製鉄所の建設を行います。この長崎における造船は、明治政府の官営工場を経て、一八八四年（明治一七）に三菱に経営が移り、現在の「三菱長崎造船所」へと引き継がれるのです。一八九八年（明治三一）には、「長崎造船所」

で国産初の大型貨客船が建造され、日本は造船大国として、欧米列強の仲間入りを果たしていくことになります。

③石炭産業の近代化

石炭産業では、一七〇〇年代初期には長崎の「高島炭坑」ですでに採炭が行われていました。一八六八年（明治一）にグラバー商会が佐賀藩との共同事業として、日本初の蒸気機関による開坑を行います。やがて、三菱によって「高島炭坑」は近代化され、さらに「端島炭坑」も開発されていきます。一〇〇〇メートルの海底から採掘される高品質の石炭は、「八幡製鐵所」の製鉄・製鋼業に活かされるとともに、日本の産業化を進める動力源として重要な役割を果たします。「三池炭鉱」は一八八九年（明治二二）政府から三井に払い下げられ、イギリスの最新技術を導入します。石炭運搬のための鉄道や港も整備され、一九一〇年（明治四三）「三池炭鉱」は国内で最先端の技術を誇る近代的な大炭鉱となります。

このように、製鉄・製鋼、造船、石炭産業の三つの産業分野は、藩や幕府それぞれが試行錯誤的に西洋技術を取り入れた時代から、直接西洋の最先端の技術を導入する時期を経て、日本として産業化を達成していくことになるのです。

（3）日本から広げる資源・エネルギー問題

ここでは、日本と空間、日本と時間の関係をさらに広げてみることにしましょう。まずは、空間について、製鉄・製鋼、造船、石炭産業の三つの産業分野以外に広げましょう。

「明治日本の産業革命遺産」の正式な登録名称は、「明治日本の産業革命遺産――製鉄・製鋼、造船、石炭産業」です。二五件ある日本の世界遺産の中で、「産業遺産」としては「石見銀山遺跡とその文化的景観」、「富岡製糸場と絹産業遺産群」に続く三番目の登録となりますが、重工業分野における産業遺産としては、日本初です。つまり、これまで見てきたように、製鉄・製鋼、造船、石炭産業の重工業分野における日本の産業化を伝える遺産なのです。しかし、一八七二年（明治五）に操業した世界遺産「富岡製糸場と絹産業遺産群」が伝えるように、明治期における日本の産業化は、絹織物を中心とした繊維業、すなわち軽工業の発展を基盤として、重工業につながっていったと考えられるのです。従って、日本の産業化は「明治日本の産業革命遺産」だけに注目するのではなく、その前段階としての軽工業（繊維業）の発展にも着目すると、より理解が深まると思います。

次に、時間を広げてみましょう。ここでのポイントは、資源・エネルギーと「稼働遺産」です。明治期に近代化が達成された石炭産業は、その後の日本の経済発展を支えました。つまり、日本で採掘された石炭が、自前の資源・エネルギーとして日本を支えたのです。資源がなければ産業は成り立ちません。「八幡製鐵所」は「高島炭鉱」や「三池炭鉱」の豊富な石炭を使用しましたが、鉄鉱石は国産では足りず、創業当時から中国産の鉄鉱石に頼っていました。やがて朝鮮産の鉄鉱石も使用され、一九一〇年（明治四三）以降は、中国産と朝鮮産がおよそ半々となるのです。その後も、鉄鉱石の海外への依存は変わらず、第二次世界大戦を経て高度経済成長期になっても、その構造は変わりませんでした。

石炭は、長く日本の資源・エネルギー源となっていましたが、蒸気機関に替わる内燃機関のエネルギー源として石油が用いられると、状況が変わってきます。日本がアメリカとの開戦を決意した原因の一つとして、アメリカからの石油の禁輸があったことは良く知られています。当時の日本はアメリカの石油に依存していたのです。この構造は戦後も基本的に変わっていません。日本は石油をはじめとした資源・エネルギーの大部分を海外に依存しており、二〇一七年（平成二九）のデータでは、原油や天然ガスなどを含めた一次エネルギーの自給率は僅か七パーセントです[12]。

写真②　ジャイアント・カンチレバークレーン（祐岡武志撮影）
この写真は、旧グラバー住宅から撮影しました。住宅からは長崎造船所が対岸に見えます。

他に、「明治日本の産業革命遺産」には、長崎造船所の「第三船渠」や「ジャイアント・カンチレバークレーン」(写真②)など、現在も稼働している産業遺産が含まれることは、時間を広げることになるでしょう。これらの稼働遺産は今も実際に使用されているため、一般での見学が制限されているだけでなく、世界遺産としての保護の計画にどのように対応していくかが注目されています。つまり、今後の世界遺産の状況を見通した活用と保護を考えなければならず、広く未来の社会のあり方を考えることにもつながるのです。

このように、空間と時間をより広げることで、日本の資源・エネルギー問題や、世界遺産の保護について、日本としてどのように取り組むのか、「明治日本の産業革命遺産」を通して考えることができるのです。

三　世界に広げる「明治日本の産業革命遺産」

(1)　世界の空間との関係

ここでは、世界との関係について広げてみましょう。まずは空間の視点から、「明治日本の産業革命遺産」と同時期の世界の状況に着目してみましょう。ポイントは産業革命とそれに伴う産業発展です。

①イギリスの産業革命遺産

世界遺産では、「産業革命遺産」や「産業遺産」としての明確な定義はありません。しかし、今回は「明治日本の産業革命遺産」にちなみ、あえて「産業革命遺産」や「産業遺産」に着目して話を進めることとします。

写真③　クロムフォード・ミルの写真（祐岡武志撮影）
この工場の昔の様子を表す写真が、機械のそばに掲げられていました。

ご存知の通り、産業革命はイギリスの繊維工業から始まりました。ジョン＝ケイによる飛び杼の発明（一七三三年）、そしてハーグリーヴズによる多軸紡績機を経て、アークライトによる水力紡績機の発明（一七六九年）、ワットによる蒸気機関の改良による動力革命がその流れを加速させました。この繊維工業の様子を伝えるのが、世界遺産「ダーウェント峡谷の工場群」です。イギリス中部を流れるダーウェント川にそって、一八世紀後半から一九世紀の紡績工場が点在します。中でも「クロムフォード・ミル（工場）（写真③）」は、アークライトが世界で初めて水力紡績機を導入し、イギリスの近代的な工場制機械工業発祥の地とされています。また、同じくイギリス中央部にある都市「ソルテア」（写真④）は、一九世紀後半に建設された綿織物工場を中心として労働者のための街づくりがされたことで世界遺産に登録されています。

また、同じくイギリスの中部、セヴァーン川上流のアイアンブリッジ峡谷は、一八〜一九世紀のイギ

写真④　ソルテア（祐岡武志撮影）
この地域では、工場労働者のために建てられた住宅街を、今も見ることができます。

写真⑤　修理中のアイアンブリッジ（祐岡武志撮影）
2018年8月、アイアンブリッジは修復中でした。ある意味、貴重な写真だと思います。

リス鉄鋼業を支えた工業地域です。この地で、ダービー一世は石炭コークスで鉄鉱石を溶解する製鉄法を確立し、銑鉄の大量生産を可能にしました。その鉄を用いて造られたのが、セヴァーン川にかかる世界初の鉄橋、世界遺産「アイアンブリッジ」（写真⑤）で、この峡谷の名前の由来ともなりました。

スコットランド東部のフォース川河口に架かる世界遺産「フォース橋」は、一八九〇年（明治二三）に世界で最初に複数のカンチレバー（片持ち梁）を採用して建設された鉄橋です。最先端の工法によって建設された橋は、世界の工業分野の奇跡とも称されました。「明治日本の産業革命遺産」と同じ二〇一五年（平成二七）に世界遺産に登録されたことと、現在も鉄道が通っている現役の稼働遺産としても注目されます。

このように、イギリスの産業革命遺産からは、イギリスの産業が綿織物から鉄へと発展していったことや、その動力源として水力から石炭を用いた蒸気機関に切り替わっていったことが分かります。そして、二〇二一年に世界遺産リストから抹消されましたが、「リヴァプール海商都市」は、これらの製品を積み出す港であるとともに、造船所や造船事務所が残されています。

②フランスの産業発展

本稿で述べているような「産業革命遺産」や「産業遺産」はフランスには見られません。しかし、世界遺産「パリのセーヌ河岸」の登録物件の一つである「エッフェル塔」（写真⑥）は、フランスの鉄の活用力を示す遺産として注目して良いでしょう。「エッフェル塔」は、その名の由来となった建築家エッフェルによって設計され、一八八九年（明治二二）のパリ万国博覧会のシンボルとして建設されました。

写真⑥　エッフェル塔（祐岡武志撮影）
パリ市内では、どこからでも塔の姿をみることができます。まさにパリの象徴です。

万博終了後に撤去される予定でしたが、当初は否定的だったパリ市民の評判も時間が経つにつれて肯定的となり、ラジオやテレビの電波塔としての活用法が見いだされたこともあって恒久的な建造物となり、今ではパリのシンボルとなっています。

万国博覧会は、一八五一年（嘉永四）にイギリスのロンドンで開催された国際博覧会が始まりとされています。一八五五年（安政二）フランスで開かれた国際博覧会から万国博覧会と称されるようになりました。以降、次のように一九〇〇年（明治三三）までに、パリでは計五回も万国博覧会が開催されています。

一八五五年（安政二）フランス初の国際博覧会、ナポレオン三世の国威高揚
一八六七年（慶応三）日本から「幕府」「薩摩」「鍋島」が初めて参加
一八七八年（明治一一）エジソンの蓄音機や自動車などが出展
一八八九年（明治二二）フランス革命一〇〇周年、エッフェル塔建設、電球の夜間照明

一九〇〇年（明治三三）電気館が注目を集める、万博の交通手段として地下鉄敷設この間、他の同一都市での開催は、ロンドン（一八五一年、一八六二年）だけで、パリでの開催が目立ちます。ナポレオン三世の第二帝政は、一八七〇年のプロイセン＝フランス戦争で終焉していますが、産業発展の成果を示す国威高揚の場としては、フランスにとって意味があったことが推測できます。また、エジソンの発明による白熱電球と電気館が示すように、電気の時代が到来したことが分かります。

③ドイツの産業遺産

「八幡製鐵所」が技術を導入したというドイツには、どんな製鉄所があるのでしょうか。現存するドイツの製鉄所は、世界で初めて産業遺産として世界遺産に登録された「フェルクリンゲンの製鉄所」があります。建設されたのは、ドイツ帝国成立間もない一八七三年（明治六）ですが、当初は営業が上手くいかず、経営者がカールレヒリングに交代した一八八一年（明治一四）以降、急速に経営状態が改善し、宰相であったビスマルクによる富国強兵政策（鉄血政策）[13]の影響もあって、銑鉄の生産を増やしていきます。第二次世界大戦での被害を奇跡的に免れ、戦後も操業を続けましたが、一九七〇年代、オイルショック以降の製鉄業界の不況の影響を受け、一九八六年（昭和六一）に操業を停止します。その後、操業時の施設が良好な形で残されていることから、ヨーロッパ産業史における産業遺産として一九九四年（平成六）世界遺産に登録されました。また、ドイツ重工業の発展に寄与した炭鉱としては、一八五一年（嘉永四）操業の世界遺産「エッセンのツォルフェラインン炭鉱業遺産群」があります。

このように、イギリス、フランス、ドイツの産業に広げることで、当時のヨーロッパにおける産業発展の様子と、日本の産業発展の様子を比較することができます。少なくとも、日本だけが産業発展をしたわけではなく、また、ヨーロッパの産業発展が必ずしも安定的で、順調であったわけではないことが分かるのではないでしょうか。

(2) 世界史の時間との関係

ここでは、明治日本の産業発展を世界史というグローバルな時間の中に位置づけたいと思います。先述の欧米諸国の産業発展とともに、国際的な出来事を整理してみましょう。

①欧米列強の海外進出

まずは、欧米列強の産業発展と海外進出の歴史を、日本の産業発展とともに年表にまとめてみましょう[14]。なお、表中の太字は、世界遺産に関わる出来事です。

この年表の世界の出来事で、アヘン戦争(一八四〇年〜)はイギリスが単独で、アロー(第二次アヘン)戦争(一八五六年〜)はイギリスがフランスと連合して、清(中国)に対しておこした戦争ですし、南アフリカ戦争(一八九八年〜)はイギリスが、オランダ系住民と南アフリカの植民地化を争った戦争です。いず

日本の出来事	
１８５０	佐賀、日本初の洋式反射炉完成
１８５３	ペリーの浦賀来航
１８５４	日米和親条約締結
１８５５	**薩摩、日本初の蒸気船試作**
	幕府、長崎海軍伝習所を開く
１８５８	日米修好通商条約締結
	安政の大獄始まる
	釜石、橋野高炉建設
１８６５	**佐賀、日本初の実用蒸気船建造**
１８６７	大政奉還
１８６８	王政復古、明治維新
	佐賀、グラバー商会と高島炭坑開坑
１８７１	岩倉使節団が欧米に出発
１８７２	**官営富岡製糸場設立**
１８８４	**長崎造船所の経営が三菱に移る**
１８８９	**三池炭鉱が三井に払い下げ**
１８９４	日清戦争（〜９５）
１８９８	**長崎造船所で大型貨客船建造**
１９００	義和団事件で清（中国）へ出兵
１９０１	**官営八幡製鐵所操業開始**
１９０４	日露戦争（〜０５）
１９１０	日韓併合
	三池炭鉱が国内最大の大炭鉱に

世界の出来事	
１８４０	アヘン戦争（〜４２）
１８５１	ロンドンで世界初の国際博覧会
	独、ツォルフェラインで採炭
１８５３	**英、ソルテア建設**
１８５５	パリで初の万国博覧会
１８５６	アロー（第二次アヘン）戦争勃発
１８６１	イタリア王国成立
	アメリカ南北戦争（〜６５）
１８６９	大陸横断鉄道、スエズ運河開通
１８７１	ドイツ帝国成立
１８７３	**独、フェルクリンゲン製鉄所稼働**
１８７７	米、エジソンが蓄音機を発明
１８７９	独、世界初の電気機関車を発表
１８８４	清仏戦争（〜８５）
１８８５	独、世界初のガソリン車を製造
１８８９	**仏、エッフェル塔建設**
１８９０	**英、フォース橋完成**
１８９４	日清戦争（〜９５）
１８９８	アメリカ＝スペイン戦争
１８９９	南アフリカ戦争（〜１９０２）
１９００	清、義和団事件 八カ国共同出兵
１９０３	ライト兄弟の動力飛行成功
１９０４	日露戦争（〜０５）

れも、イギリスが関わっていることに留意する必要があります。

全体として前半（一八五〇年代～七〇年代）は、日本が欧米諸国と通商条約を締結し、開国を進めていく時期ですが、欧米諸国も戦争や政変を経て、近代国家としての枠組みを整えているのです。後半（一八八〇年代～一九〇〇年代）は、欧米諸国で経済発展が進むのと軌を一にするかのように、日本も経済発展を進め、欧米諸国の海外進出に関わっていくことが分かります。そこには、欧米諸国を手本として、近代化した日本の姿を見る一方で、欧米諸国も日本のような試行錯誤の中で国家体制を整え、経済発展や海外進出を進めたことが分かります。

②東アジアの経済発展

日本と欧米列強のこのような関係を、東アジアの視点で見るとどうなるのでしょうか。少なくとも、本稿で扱う世界史の時間においては、中国（清）はアヘン戦争以降、欧米列強の進出の波を受け続け、半植民地化の道をたどることになりますし、朝鮮については、日清・日露戦争の抗争の地として、日本による支配が強まっていく時期となります。

その後の、日本による朝鮮支配と、満州事変や日中戦争による中国への進出を考えれば、明治日本の産業発展は、両国にとって、肯定的に受け入れられるものではないでしょう。結果として、植民地支配に対する異議申し立てが、次の二つの形で現代に現れているのではないかと考えられます。

一つは、日本による植民地支配を糾弾する韓国の反日運動です。それが、「明治日本の産業革命遺産」

が世界遺産に登録される際の、韓国による国家を挙げた反対活動を引き起こし、現在も解決の糸口が見えない徴用工問題につながっていると考えられます。

もう一つは、アジアにおける中国やインドの経済発展です。今日の両国の経済発展は目覚ましいものがあり、中国については、日本を追い抜き世界第二位の経済大国になりました。しかし、国内的には貧富の格差が大きく、環境に配慮した工業化にも課題があることが指摘されています。特に温室効果ガスの排出をめぐる環境問題について、先進国に対して一定の配慮を求めていることは、日本を含めた欧米列強による支配によって経済発展を遅らされたことに対する異議申し立てとも考えられます。また、アメリカに次ぐ経済大国となった中国は、「一帯一路」を打ち出し、二一世紀における経済的な海外進出をアジア・アフリカをターゲットとして進めていることは明らかです。その経済進出は直接的な武力の行使こそありませんが、かつて、アヘン戦争で貿易体制の変化を望まない中国に対して、自由貿易を主張して出兵したイギリスの姿が重なります。

つまり、見方によっては、世界遺産「明治日本の産業革命遺産」は、東アジアの国々にとっては非難の対象である一方で、今でも追随すべき発展モデルの象徴かもしれないのです。

(3) 世界に広がる資源・エネルギー問題

ここでは、世界的な視点に広げたことを、資源・エネルギーをテーマとして、まとめてみましょう。

まずは、次のグラフを見てください。これは、二〇一三年までの主要国の一次エネルギー消費量推移です。[15]

一次エネルギーとは、石炭や石油、天然ガスなど、自然界から直接採取されたエネルギーのことです。この表では、それを石油に換算して表しています。どんなことに気がつきますか。

表が二つに分かれていることから明らかなように、上の表に示された、中国、米国、インド、ロシアは五〇〇（一〇〇万石油換算トン）を越えますが、下の表の日本やドイツなどは、五〇〇（一〇〇万石油換算トン）以下に集中しています。上位四カ国は人口や国土の規模から、より多くのエネルギーを消費していることが推測できます。加えて、二〇〇〇年（平成一二）以降に着目すれば、消費量が上昇しているのは、中国、インド、韓国になります。経済発展とエネルギー消費量が関連するとすれば、すでに一定の経済発展を遂げて安定成長期に入った日本や欧米諸国に対して、新興のアジア諸国は今後の経済発展と比例してエネルギー消費量が増えることが予想されます。国際連合などで、環境問題が議題となっていますが、各国により主張が異なる背景が、この表から読みとれます。

このように、資源・エネルギーの消費が偏ることを消費偏在性と呼び、有限性、経済性、安全性に加え、資源・エネルギーをめぐる新たな地球的課題となっています。この課題に対して私たちは、日本として、人間として、どのように向き合うかが問われており、その歴史的背景として、各国の経済発展の差を理解しておくことは重要です。

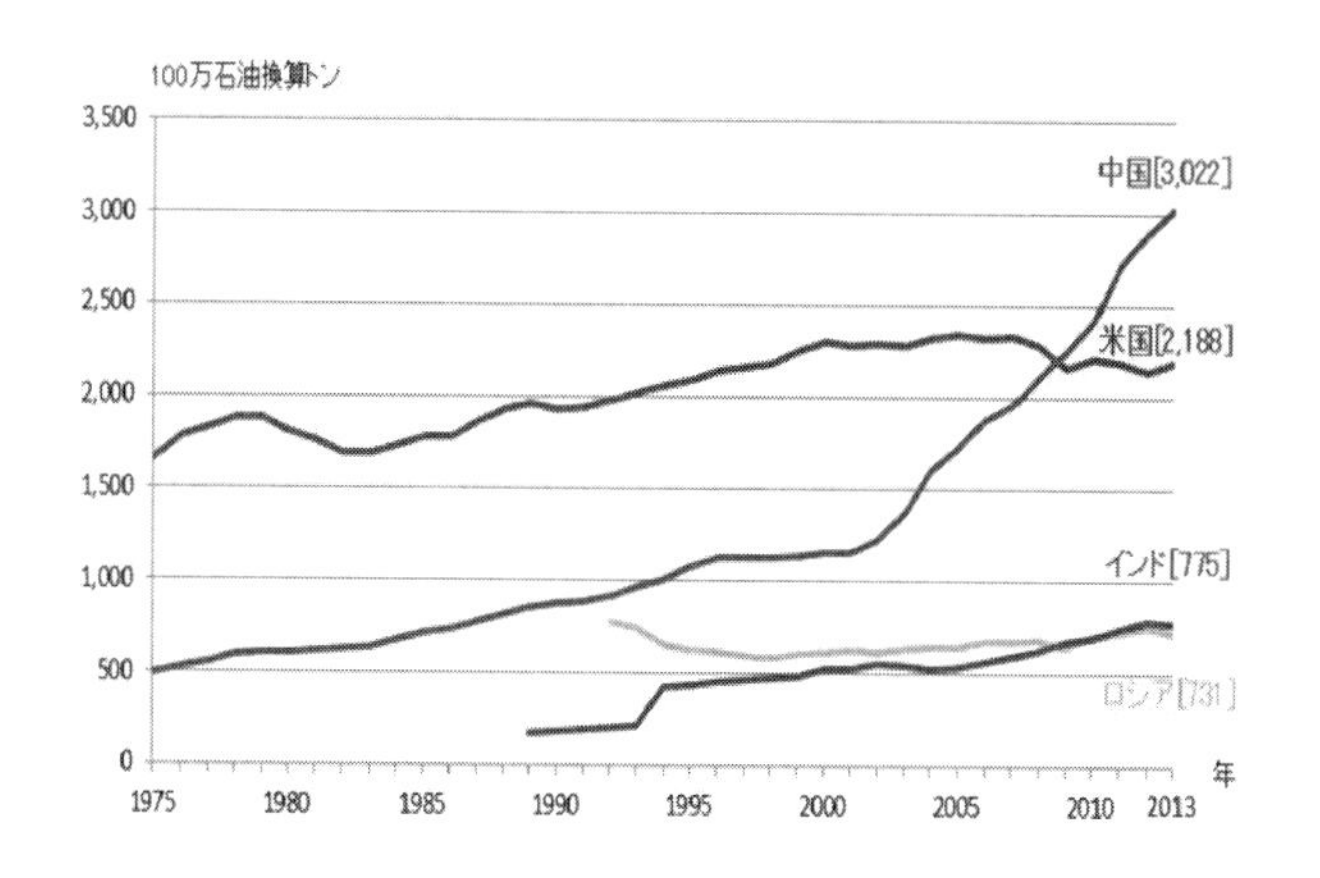

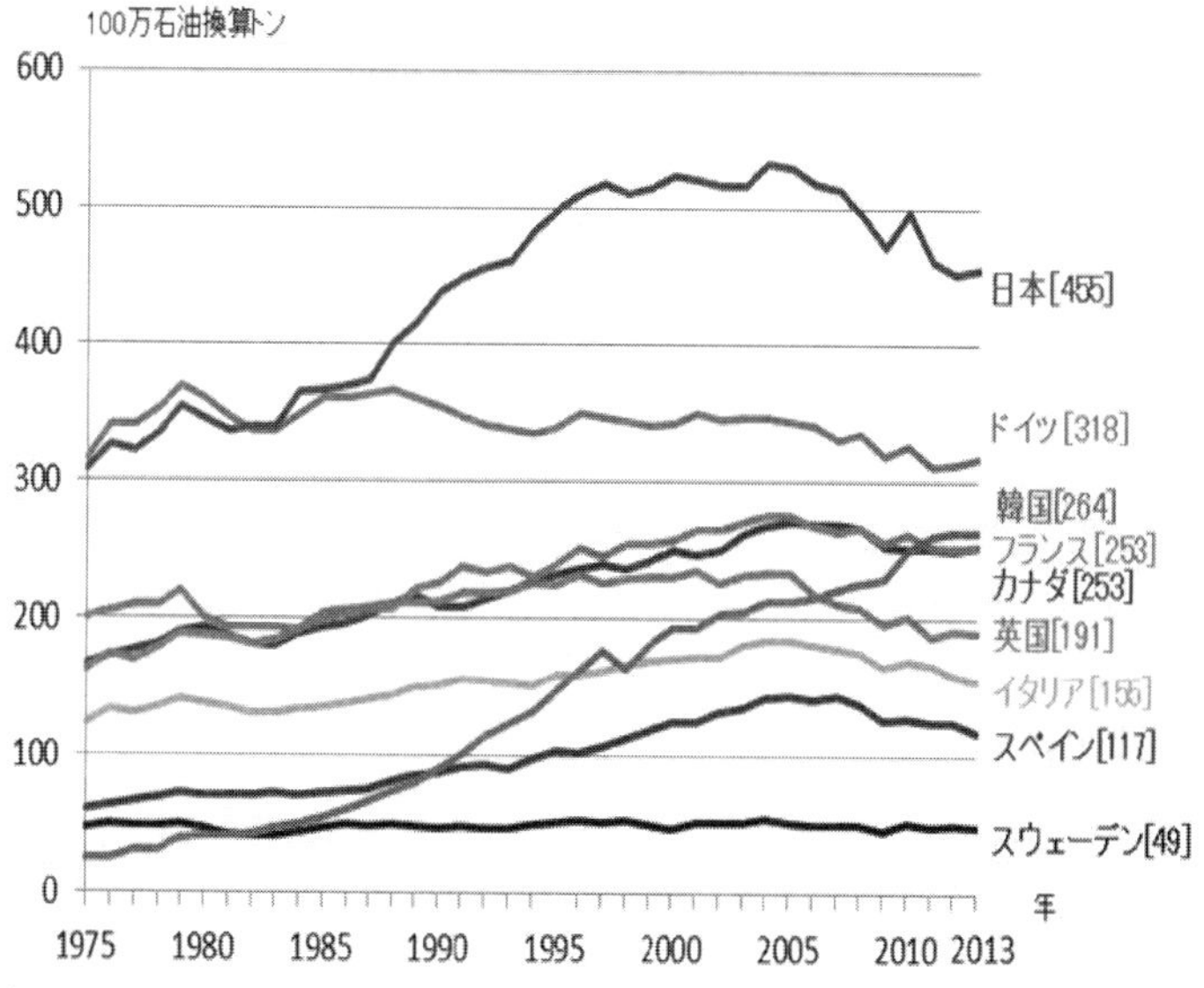

主要国の一次エネルギー消費量推移(JEPIC 一般社団法人 海外電力調査会HPより)

四　人物との関係に広げる

ここまで、「明治日本の産業革命遺産」に基づき、空間や時間、日本や世界に関わる視点から、資源・エネルギーをめぐる問題に論点を広げてきました。そして、人間としての向き合い方まで提議しました。ここでは、この問いに対するヒントを、「明治日本の産業革命遺産」に関わる先人たちの生き方から読み解きたいと思います。

(1) 島津斉彬の改革力

島津斉彬(しまづなりあきら)(一八〇九年～一八五八年)は、薩摩藩第一一代藩主として、藩の近代化に努めました。斉彬が藩主となったのは一八五一年(嘉永四)、ペリー来航の二年前です。斉彬は、薩摩藩の富国強兵を目指して、反射炉、溶鉱炉の建設から大砲の鋳造や、洋式造船を行います。これが集成館事業と呼ばれます。現在は「旧集成館」として、その遺構が博物館となり保存されています。また、その燃料は石炭ではなく、良質の木炭(白炭)を「寺山炭窯跡」などで生産しました。さらに、動力源として、集成館のそばを流れる稲荷川に「関吉の疎水溝」をつくり、水車を用いて動力を得ました。つまり、鹿児島に残る三つの資産は、いずれも島津斉彬の集成館事業によってつくられたものなのです。

ペリー来航前、斉彬の先見の明により、すでに近代化を進めていた薩摩藩ですが、島津斉彬の父、島(しま)

津斉興の代では、深刻な財政難に陥っていました。その原因は斉彬の曾祖父であった重豪の開化政策にあるといいます。お金に糸目をつけず、西洋から新しいものを取り入れたことが祟り、財政難を招くのです。そのため、重豪に可愛がられ、西洋に興味を持つ開化的な斉彬に家督を譲ることを、斉興は望まなかったようです。せっかく立て直した藩の財政が、また傾くことを懸念したのでしょう。

結局、異母弟の久光との家督相続争いの結果、斉彬が藩主となったのは四二歳のことです。遅咲きの藩主だったのです。しかし、集成館事業を起こし、さらに西郷隆盛や大久保利通など、身分の低い家来の中から有能な人材を見いだし、藩の改革を進めます。そして、西郷、大久保らは明治維新の立役者になるのです。しかし、斉彬は一八五八年（安政五）に亡くなり、藩主として改革を進めたのは、わずか七年間にとどまったのでした。後を継いだ久光によって、一時、財政上の理由から集成館事業は縮小されますが、一八六三年（文久三）の薩英戦争で欧米列強の力を見せつけられた後は、斉彬の遺志を継いで、富国強兵を推し進めていくのです。

（2）吉田松陰の実践力

吉田松陰（一八三〇年〜一八五九年）は、長州藩の下級武士杉百合之助の次男として萩に生まれました。六歳で、山鹿流兵学師範である叔父の吉田大助の養子となり、吉田大次郎（通称は寅次郎）を名乗り、叔父の玉木文之進が開いた松下村塾で学びます。その後、藩校明倫館で学び、一九歳で山鹿流兵学師範となり、明倫館で兵学を指南するようになります。

吉田松陰が、直接「明治日本の産業革命遺産」と関わることを示すことは難しいでしょう。なぜなら、松陰が構成資産の「松下村塾」で身分を問わず塾生を受け入れ、その教えを伝えたのは僅か三年足らずの期間だったからです。本書でも記されているように、吉田松陰は教えることもさることながら、自ら学ぶことに多くの時間を費やしました。特に、長州藩遊学制度を用いて、宮部鼎蔵（みやべていぞう）や佐久間象山（さくましょうざん）ら多くの人物と交流したことは、松陰のその後の人生に大きな影響を与えました。実際、吉田松陰が脱藩して東北に向かったのは、宮部鼎蔵との東北調査旅行の約束を果たすためだったと言われます。そして、脱藩の罪により藩士の身分を失い、松陰は父百合之助の保護下におかれることとなります。しかし、松陰の才を惜しむ藩から国内遊学の許可を得て江戸に遊学し、佐久間象山に師事します。この江戸遊学の際に、ペリー来航（一八五三年）を目の当たりにし、危機感を覚えた松陰は、西洋列強から日本を守るためには西洋先進国を知らなければならないとして、海外渡航を決意するのです。結局、二度も渡航（密航）に失敗した松陰は自首し、幕府によって投獄されることとなります。

このように、吉田松陰の半生は、学問を求める探究力と、西洋を知ろうとする行動力に支えられたものでした。常に学びを志向し、今でいえば、リカレント教育や生涯教育にも尽力し、自らもそれを実践したともいえるでしょう。このため吉田松陰の生き方は、試行錯誤であったかもしれません。最後は安政の大獄により、一八五九年（安政六）に処刑されますが、松陰がその生き方とした「至誠天に通ず」[16]の教えは、弟子や仲間（同士）に引き継がれ、伊藤博文や井上馨ら英国留学を果たした長州五傑（長州ファイブ）をはじめとして、明治維新を思想的、人的に支えることとなるのです。長州五傑は海外で工業化をはじめとした、先進技術を熱心に学んで日本に持ち帰り、日本近代化の礎となるのです。

（3）トーマス＝グラバーのつながる力

トーマス＝グラバー（一八三八年〜一九一一年）は、スコットランド出身の貿易商です。彼が生まれた一八三八年（天保九）は、土佐の後藤象二郎や長州の山県有朋が生まれた年でもあり、明治維新で活躍した日本人とは、同世代といえます。一八五九年（安政六）、二一歳で上海の「ジャーディン・マセソン商会」に入社し、長崎に赴任することになります。当時の日本は、西洋人にとってはまだまだ未知の国で、望んで赴任する者はいなかったのですが、グラバーはそんな日本を活躍の場に選んだのです。来日後は、日本人との距離を縮めるように努めた結果、二年後にはマセソン商会の長崎代理人として「グラバー商会」を設立し、本格的に日本との貿易に携わるようになるのです。

グラバーは幕末の日本社会の変化をいち早くつかみ、薩摩や長州ら討幕派だけでなく、幕府側も支援します。武器や弾薬に加え、軍艦まで売りさばいたり、坂本龍馬の亀山社中（後の海援隊）とも取引を行います。これらの商業活動により、明治維新の動乱につけこんだ武器商人としてのイメージがありますが、彼の活動は武器の販売にとどまりません。

薩摩藩の家老で藩の近代化を進めていた小松帯刀（こまつたてわき）とも親交を深め、薩英戦争後に、五代友厚（ごだいともあつ）や寺島宗則（てらしまむねのり）など薩摩の有望な若者を英国へ留学させる手助けをするのです。また、長州藩の伊藤博文や井上馨ら長州五傑のイギリス渡航にもグラバーは関わっています。当時、日本で海外渡航は認められていませんから、いずれも国禁を犯しての密航です。その手引きをしたことで、場合によっては、グラバー自身の身も危うくなるかもしれなかったのです。

一八六八年（明治一）には、佐賀藩との合弁で「高島炭鉱」の開坑に着手しており、彼が日本にもたらした西洋の進んだ技術や物品は、日本の近代化に大きく貢献することになりました。しかし、明治維新は短期間で争乱が静まり、仕入れた武器や弾薬が売れ残ったり、廃藩置県によって藩が解体したことによって、投資や貸付を回収できなかったりしたことから、一八七〇年（明治三）にグラバー商会は破産します。皮肉なことに、日本の近代化に積極的に投資したことで、かえって日本の近代化を早め、グラバーをはじめとした欧米各国の思惑が外れることになったのかもしれません。その後、グラバーは「高島炭鉱」の経営者として日本にとどまり、三菱財閥が「高島炭鉱」を買収してからは、三菱の顧問として、石炭をはじめとした海外との取引に活躍することになるのです。

私生活では、日本人女性ツルとの間に子どもをもうけ、日本で一生を終えることになります。一九〇八年（明治四一）には、外国人としては異例の勲二等重光章を授与され、その死に際しては、明治天皇から特使が派遣されるほど、明治政府にその功績を認められることになります。激動の日本に身を投じ、自身の身の危険も顧みず、日本で人とつながる力を発揮して人的ネットワークを広げたことが、彼自身の激動の人生を助けることになったのかもしれません。

（4）未来を生きる人々へのメッセージ

これらの人物から、現代の社会を生きる我々は何を学ぶことができるのでしょうか。なぜ、彼らは日本の近代化を支えたといえるのでしょう。敢えて、その特徴を明確にするため、それぞれの立場と能力に着目しましょう。

島津斉彬は、ペリー来航前に藩の近代化を進め、集成館事業を立ち上げるなど、先見の明がありました。また、藩主の立場から、藩だけでなく、日本と欧米諸国との関係まで見通していました。さらに、西郷隆盛など、有能な部下を見いだす力もありました。つまり、島津斉彬は「見る力」に長けた人物であり、一人ではできない改革を、部下や後進に伝えることで進めたといえます。いわば、上からの改革の手本として、その「見る力」は、現在では政治や企業という組織のリーダーにとって、参考になるのではないでしょうか。

吉田松陰は、罪を問われる身となりながらも、「松下村塾」で門下生とともに、日本のあるべき姿を考えます。しかし、彼が具体的な成果として残した実績はありません。彼の死後に見つかる遺書『留魂録』など、吉田松陰は「教え」を残すのです。「教え」とは、押しつけがましい意思ではなく、松陰自身の「至誠天に通ず」の「誠」、すなわち実践であったと思います。その実践を追求する姿に共感した人々が、弟子や仲間、同士として、吉田松陰の「魂」の「誠」を引き継いだと考えられるのです。この点から、吉田松陰は「同士をつくる力」に長けた人物であり、現代を生きる我々も得るべき力であると思います。

トーマス＝グラバーは外国人として、日本の近代化に深く関わりました。その関わり方は、当初は武器商人という側面がありながらも、炭鉱開発に関わったことなどは、日本の未来に投資したともいえるでしょう。外国人であったが故に、日本人と深く関わろうとし、結果として、日本の歴史を動かす人物と深い人間関係を結ぶのです。それはまさに、人との「ネットワークをつくる力」に長けた人物であったことがうかがえます。この能力も、現代社会を生きる私たちにとって、参考になるでしょう。

このように、三人の置かれた立場や生き方は異なりますが、三人の「見る力」「同士をつくる力」「ネットワークをつくる力」は、現代では「生きる力」とされるもので、これからの未来社会を形成する人材育成のキーワードとされているものと共通すると思います。そして「明治日本の産業革命遺産」をめぐる先人たちの「生きる力」は、未来を生きる人々へのメッセージとして引き継がれていくべきものとなるでしょう。

また、この三人以外にも、佐賀の佐野常民（さのつねたみ）や、福岡出身の團琢磨（だんたくま）など、二三の資産それぞれに関わる人物に着目し、その生き方や、明治日本の産業発展に果たした役割を考えてみることもできるでしょう。

五　まとめ（世界遺産から感じて考える）

（1）「見て」楽しむ、から「感じて」考えるへ

これまで見てきたように「明治日本の産業革命遺産」は二三の資産で構成され、その特徴も様々です。世界遺産は不動産ですから、それを見るためには、その地を訪問しなければなりません。できれば、ただ「見て」楽しむだけでなく、そこで何をしたいのか、目的をもって訪問したいものです。本書で得た知識をもとに、皆さんでもっと広げたいことや、「なぜ？」と思ったことを解き明かすための見学ができるヒントとなることを願って、本稿を記しました。

世界遺産を「見て」どんなメッセージを受け取り、そこからどんな伝えたいことが自分の中に生まれたのか。それを「感じて」考えることができれば、世界遺産についてより深く学ぶことになると思います。

（2）世界遺産を生かすには

「明治日本の産業革命遺産」は、日本と世界を考えるには格好の題材です。この世界遺産を生かすには、本稿で述べたように、「広げる」と「感じる」がキーワードになるでしょう。そして、空間的な広がりやつながりに加え、過去の歴史とつながり、現代から未来へ時間を広げることで、歴史から学び、

より良い未来の社会を考えることができると考えます。

世界遺産「明治日本の産業革命遺産」について広げた本稿での見方が、新たな感じ方や考え方につながり、読者の皆さんの未来の生き方に、広がりと感動をもたらすことができれば幸いです。

注

（1）NHK NEWS WEB（https://www3.nhk.or.jp/hiroshima-news/20190919/4000005515.html）を参照しました。

（2）世界遺産条約では明確に定義されていませんが、「負の遺産」とは、戦争や人種差別など、人類が犯した過ちを記憶にとどめて教訓とする遺産のことをいいます。

（3）宮島観光公式サイト（http://www.miyajima-wch.jp/jp/mont_saint_michel/01.html）を参照しました。

（4）世界遺産は、i～xの登録基準のうち、最低でも一つが認められる必要があります（i～viは文化遺産、vii～xは自然遺産の登録基準です）。詳細は、以下の日本ユネスコ協会連盟のサイト（http://www.unesco.or.jp/isan/decides/）を参照してください。

（5）古都奈良の文化財には、東大寺、興福寺、元興寺、薬師寺、唐招提寺、春日大社、平城宮跡、春日山原始林の八件が登録されています。

（6）『すべてがわかる世界遺産大辞典〈上〉世界遺産検定公式テキスト』（二〇一二年）二一一頁。

（7）「明治日本の産業革命遺産」が指す半世紀については、登録基準に明記されています。登録基準iv（世界史的価値のある産業国家の実現に貢献した製鉄・鉄鋼、造船、石炭産業のそれぞれの技術と産業システムの集合体及びその総体を示すとともに、そこに至るまでの僅か半世紀余りの産業化の道程を物語る技術発展の証左となる技術の集合体を示す顕著な見本である）。

（8）その前段階として、アヘン戦争（一八四〇年）により、中国（当時の清）に欧米諸国が進出し始めたことは、日本国内では広く知られていました。

（9）日本政府が万国博覧会に公式参加したのは、一八七三年（明治六）のウィーン万博からです。

（10）この表の作成には、『世界遺産年報二〇一六』（講談社ＭＯＯＫ、二〇一五年）八頁の分布を参考にしました。

（11）この表の作成には、『世界遺産年報二〇一六』（講談社ＭＯＯＫ、二〇一五年）九頁の年表を参考にしました。

（12）経済産業省のホームページ（https://www.enecho.meti.go.jp/about/whitepaper/2017html/2-1-1.html）を参照しました。

（13）この富国強兵政策は、「鉄と血によってドイツの問題を解決する」としたビスマルクの演説から、別名「鉄血政策」とも呼ばれます。「鉄」とは工業化や武器を、「血」とは戦争や兵士を指すとも考えられています。

（14）この表の作成には、『世界遺産年報二〇一六』（講談社ＭＯＯＫ、二〇一五年）九頁の年表を参考にしました。

（15）ＪＥＰＩＣ 一般社団法人 海外電力調査会のホームページ（https://www.jepic.or.jp/data/g02.html）の二〇一三年のデータを参照しました。

（16）「至誠天に通ず」は儒教の『孟子』が出典とされます。吉田松陰は、松下村塾で『孟子』などの儒学を教え、学問として学ぶだけでなく、行動が伴わないと「誠」ではないと考え、自らもそれを実践しました。

日本と世界の産業遺産関連年表

作成◎塚越俊志

西暦／和暦	日本の出来事 ※明治5年(1872)11月の太陽暦採用までは月は和暦に対応	世界の出来事 ※月は西暦に対応
1840 天保11年		6月 アヘン戦争(～1842)
1850 嘉永3年	7月 佐賀藩、日本初の洋式反射炉(築地反射炉)築造開始、11月に一基完成	12月 清国で太平天国の乱が勃発(～1864)
1851 嘉永4年	2月 島津斉彬藩主となり、集成館事業計画に着手 8月 薩摩藩、製煉所設置	5月 ロンドンで世界初の国際産業博覧会開催 ドイツ、ツォルフェライン炭坑で本格的採炭始まる
1852 嘉永5年	冬 薩摩藩、反射炉一号建設か	
1853 嘉永6年	6月 ペリー、浦賀へ来航 8月 品川台場建設着手 9月 浦賀で浦賀造船所建設始まる 12月 水戸藩、日本最初の洋式造船所といわれる石川島造船所建設	7月 ニューヨーク万博開催 10月 クリミア戦争勃発 この年、イギリスで「モデル・ビレッジ」ソルテア建設

1854 安政元年

3月 日米和親条約(神奈川条約)締結
5月 日本で最初の西洋式軍艦鳳凰丸が浦賀で完成
7月までに薩摩藩溶鉱炉完成

1855 安政2年

8月 薩摩藩、日本初の蒸気船(後の雲行丸)試作
12月 幕府、長崎海軍伝習所を開設

5月 パリで初の万国博覧会開催

1856 安政3年

1月以降 萩反射炉が試験炉として建造されるが、実用炉は建造されなかった
12月 恵美須ケ鼻造船所で洋式帆船(丙辰丸)を建造

10月 アロー戦争(第二次アヘン戦争)勃発(~1860)

1857 安政4年

5月 薩摩藩反射炉二号完成(一号炉は撤去)
11月 吉田松陰が松下村塾を再興
11月 韮山反射炉完成(~1864まで鋳造)

1858 安政5年

6月 日米修好通商条約締結
9月 安政の大獄始まる
11月 釜石、橋野高炉建設。12月、洋式高炉として初めて連続出銑に成功

1859 安政6年

12月 浦賀に日本最初のドライドック完成、咸臨丸の整備が行われる

1860 万延元年

1月 遣米使節団派遣

年	日本	中国・世界
1861 文久元年	秋 三重津海軍所(日本に現存する最も古いドック)が稼働 10月 幕府、西洋医学所設立 12月 文久遣欧使節団派遣	この年の初め、清国で中体西用をスローガンに洋務運動(変法自強運動)始まる(～1895) 3月 11日、清国、総理各国事務衙門設置 3月 14日、イタリア王国成立 4月 アメリカ南北戦争(～1865) 12月 曾国藩、安慶内軍械所設立
1862 文久2年	5月 上海使節団一回目派遣 5月 幕府オランダ留学生派遣	5月 第二回ロンドン万国博覧会開催 夏頃 奕訢、京師同文館開設
1863 文久3年	3月 長崎製鉄所完工 4月 勝海舟、神戸海軍操練所開設を命じられる 5月 長州藩イギリス留学生派遣 8月 幕府、開成所設立 12月 文久遣仏使節団派遣 長崎にグラバー邸が建設される	春頃 李鴻章、上海洋炮局設立
1864 元治元年	2月 上海使節団二回目派遣 5月 幕府、関口大砲製造所設立 6月 箱館五稜郭竣工	7月 李鴻章、蘇州洋炮局設立
1865 慶応元年	1月 幕府、横浜・横須賀両製鉄所設立開始 遅くとも三月一日までには佐賀藩、日本初の実用蒸気船(凌風丸)竣工 3月 6日、横浜仏語伝習所開設 3月 25日、上海使節団三回目派遣 4月 薩摩イギリス留学生派遣 閏5月 慶応遣仏英使節団派遣 7月 幕府ロシア留学生派遣 10月 佐賀藩イギリス留学生派遣	3月 香港上海銀行設立 5月 李鴻章、金陵機器局設立 7月 29日、曾国藩・李鴻章、江南製造総局設立

1866 慶応2年

2月 薩摩藩遣仏使節団派遣
3月 薩摩藩アメリカ留学生派遣
4月 宇和島藩上海派遣団派遣
中頃までに幕府、滝野川反射炉完成
10月 慶応遣露使節団派遣
10月 会津藩ロシア留学生派遣
10月 幕府イギリス留学生派遣

9月 左宗棠、福州船政局設立を奏請
夏頃 崇厚、天津機器局東局設立

1867 慶応3年

1月 11日、慶応遣仏使節団派遣
1月 15日、上海使節団四回目派遣
1月 23日、慶応遣米使節団派遣
2月 幕府遣露使節団派遣
3月 佐賀藩遣仏使節団派遣
4月 龍岡五稜郭竣工
7月 福岡藩アメリカ留学生派遣
8月 幕府フランス留学生派遣
10月 政権奉帰(大政奉還)
12月 王政復古の大号令発布

4月 第二回パリ万国博覧会開催
末頃 崇厚、天津機器局に史局設立

1868 明治元年

4月 佐賀藩、グラバー商会と高島炭鉱開坑
9月 新政府、開成学校開設

1869 明治2年

明治元年12月(1869年1月) 小菅修船所、薩摩藩とグラバーによって建設。曳揚げ装置は現存する日本最古の蒸気機関を動力とする装置
4月下旬 箱館に四稜郭築造
7月 8日、開拓使(次官黒田清隆)設置
7月 8日、外務省(外務卿澤宣嘉)設置
11月 工部省、小坂銀山開坑
12月 電信(東京—横浜間)開設

5月 アメリカ大陸横断鉄道建設
11月 スエズ運河開通
左宗棠、西安機器局完成

1870 明治3年

2月 兵部省、大阪に造兵司開設
閏10月 18日、岩崎弥太郎、九十九商会創設
閏10月 20日、工部省(政府)設置

英桂、福建機器局開設

1871 明治4年

3月 東京―大阪郵便開設
4月 横須賀製鉄所から横須賀造船所に改称(第一号ドック完成)
8月 小野組、築地製糸場創業
9月 兵部省、兵庫造船所管轄
11月 岩倉遣米欧使節団派遣
12月 東京―長崎郵便航路開設

1月 ドイツ帝国成立

1872 明治5年

1月 東京―高崎運送馬車開設
2月 海軍省、石川島造船所管轄
7月 1日、郵便全国化
9月 新橋―横浜線鉄道開通
10月 4日、官営富岡製糸場開館
10月頃 内藤新宿試験場開設

左宗棠、蘭州機器局(甘粛織呢創局)開設
陳啓源、広東継昌隆繅子廠開設

1873 明治6年

3月 三菱商会創設
6月 日本政府がウィーン万博に参加
7月 渋沢栄一、第一国立銀行設立
11月 内務省(内務卿大久保利通)設置

5月 ウィーン万国博覧会開催
ドイツ、フェルクリンゲン製鉄所稼働

1874 明治7年

2月 工部省に深川セメント製造所経営移管
4月 電信(青森―東京―長崎間)開設
5月 6日、台湾出兵(指揮西郷従道)
5月 11日、大阪―神戸間鉄道開通
5月頃 工部省に釜石鉄山経営移管
10月 屯田兵制度発布

瑞麟、広州機器局開設

1875 明治8年

2月 陸軍省、東京砲兵工廠および大阪砲兵工廠管轄
8月 工部省に阿仁銅山経営移管
9月 郵便汽船三菱会社設立

劉坤一、広州火薬局開設
丁宝楨、山東機器局開設
清国、基隆炭礦開坑

1876 明治9年

4月 工部省、品川硝子製造所設立
9月 札幌学校から札幌農学校に改称
10月 石川島造船所、民営化(平野富二ら、現株式会社IHIへ)
年内に浦賀造船所閉鎖

5月 フィラデルフィア万国博覧会開催
王文韶、湖南機器局開設
清国、広済興国炭礦開坑

1877 明治10年

2月 古河市兵衛によって足尾銅山経営
6月 1日、万国郵便連合加盟
6月頃 内務省、三田育種場設立
7月 官営新町紡績所設立
8月 第一回内国勧業博覧会(大久保利通主唱)開催

12月 エジソンが蓄音機発明
丁宝楨、四川機器局開設
清国、安徽池州炭礦開坑

1878 明治11年

1月 内務省、駒場農学校設立

5月 第三回パリ万国博覧会開催
李鴻章、開平礦務局開設
左宗棠、蘭州機器織布局開設
朱其昴、天津機器磨坊開設

1879 明治12年

4月 琉球処分
9月 内務省、千住製絨所設立
12月 開拓使、幌内炭鉱開坑

5月 ドイツ、世界初の電気機関車を発表
李鴻章によって天津—太沽電線開設
清国、汕頭豆餅廠設立

1880 明治13年

2月 横浜正金銀行設立

10月 メルボルン万国博覧会開催
清国、山東中興炭礦開設
清国、広西賀県炭礦開設
李鴻章、天津水師学童・天津電報総局開設

1881 明治14年

3月 第二回内国勧業博覧会開催
4月 7日、農商務省設置
4月 25日、三菱、高嶋炭鉱経営
11月 日本鉄道会社(華族)設立
12月 官営愛知紡績所設立

呉大澂、吉林機器局開設
劉坤一、金陵火薬局開設
黄佐卿、上海興和永繅糸廠開設

1882 明治15年

2月 開拓使廃止
5月 大阪紡績会社開業
6月 3日、官営広島紡績所の工場完成前に広島綿糸紡績所に払い下げ
6月 25日、鉄道馬車(新橋—浅草)開通
7月 共同運輸会社(政府・三井)創設
10月 日本銀行営業開始

李鴻章、上海機器織布局開設
清国、湖北臨城礦務局開設
李松雲、均昌機器船廠開設
清国、広州造紙廠開設

1883 明治16年

劉秉璋、浙江機器局開設
祝大椿、源昌機器五金廠開設

1884 明治17年

7月 7日、長崎製鉄所の経営が三菱に移る(長崎造船所に改称)
7月 8日、浅野総一郎に深川セメント製造所払い下げ
9月 久原庄三郎(藤田組創設者)に小坂銀山払い下げ
12月 横須賀に鎮守府が置かれる
12月 古河市兵衛に院内銀山を払い下げ

8月 清仏戦争(～1885)
岑毓英、雲南機器局開設
張之洞、山西機器局開設

1885 明治18年

3月 古河市兵衛に阿仁銅山払い下げ
5月 品川硝子製造所は西村勝三・磯部栄一らに払い下げ
9月 日本郵船会社(岩崎弥太郎・三菱汽船会社＋共同運輸会社)設立

11月 ドイツ、世界初のガソリン車を製造
張之洞、広東機器局開設

1886 明治19年

11月 愛知紡績所、民営化
三田育種場、民営化

劉銘伝、台湾機器局開設
張之洞、広州繅糸局開設
潘霨、貴州製鉄廠開設

1887 明治20年

5月 鐘ヶ淵紡績会社設立
5月 新町紡績所(三井)、民営化
6月 三菱、長崎造船所経営
6月 三角西港、三池炭の積み出し港として建造
7月 川崎正蔵、兵庫造船所設立
7月 田中長兵衛により釜石鉄山経営

厳信厚、寧波通久源軋花廠開設
張之洞、広東水師学堂開設
張之洞、広州制銭局開設

1888 明治21年

1月 山陽鉄道会社設立
5月 呉に鎮守府が置かれ、小野浜造船所を管轄
6月 九州鉄道会社設立
7月 陸軍省、千住製絨所管轄
8月 三池炭鉱、三井が落札

4月 バルセロナ万国博覧会開催
12月 17日、北洋艦隊成立
唐山―天津鉄道開通

1889 明治22年

5月 池貝工場設立
7月 1日、佐世保に鎮守府が置かれる
7月 1日、東海道線(新橋―神戸間)全通開通
12月 幌内炭鉱・鉄道(北海道炭礦鉄道)開業

5月 フランス、第四回万国博覧会でエッフェル塔建設
張之洞、広州織布局開設
盧漢鉄道開通
清国、威海衛水師学堂開設

1890 明治23年

4月 第三回内国勧業博覧会開催
8月 端島炭坑、操業開始。高島炭坑と同じ炭田を鉱床とし炭質がよく、出炭量は高島炭坑を凌駕。島は拡張され、大正時代には高層アパート群が建造され、その景観から軍艦島と呼ばれる
12月 東京—横浜間電話交換開始

3月 イギリス、フォース橋開通
張之洞、湖北槍砲廠開設
張之洞、湖北織布廠開設
鄭観応、上海機器織布局開設
李鴻章、上海紡織新局開設
清国、上海燮昌火柴公司開設

1891 明治24年

7月 九州鉄道会社(門司—熊本)全通開通
9月 日本鉄道会社(上野—青森)全通開通

湖北王三石炭礦
湖北江夏馬鞍山炭礦、大冶鉄山
台北—基隆鉄道開通
唐松岩、上海華新紡織新局開設

1892 明治25年

11月 品川硝子製造所廃止

張之洞、武昌紡織官局開設

1893 明治26年

10月 三井、富岡製糸場を経営
11月 芝浦製作所開設
12月 三菱合資会社開設

5月 シカゴ万国博覧会開催、空中観覧車が話題となる
張之洞、武昌自強学堂開設
大冶—長江岸鉄道開通

1894 明治26年

7月 日清戦争(～1895)勃発

盛宣懐、上海華盛紡織総局開設
栄鴻度、上海裕源紗廠開設
張之洞、湖北紡紗局開設
張之洞、湖北繅糸局開設
張之洞、湖北製麻局開設

1895 明治28年

- 4月 1日、第四回内国勧業博覧会(京都市岡崎町)開催
- 4月 17日、下関条約(伊藤博文・陸奥宗光・李鴻章)
- 6月 台湾総督府(総督樺山資紀)設置

- 清国、上海裕晋紗廠開設
- 清国、上海大純紗廠開設

1897 明治30年

- 6月 荒井郁之助や榎本武揚らが中心となって浦賀船渠設立

- 5月 第一回ブリュッセル万国博覧会開催

1898 明治31年

- 3月 宮原坑第一竪坑、三井が最初に開削した坑口が完成
- 8月 長崎造船所で大型客船(常陸丸)建造

- 4月 米西戦争

1899 明治32年

- 10月 南アフリカ戦争(～1902)

1900 明治33年

- 4月 第五回パリ万国博覧会開催(地下鉄や動く歩道が話題となる)
- 6月 義和団事件で清国、欧米および日本の八ヶ国に宣戦布告

1901 明治34年

- 2月 官営八幡製鐵所操業開始
- 10月 舞鶴に鎮守府が置かれる

1903 明治36年

- 11月 10日、横須賀海軍工廠誕生
- 11月 10日、呉海軍工廠誕生
- 11月 10日、鶴海軍工廠誕生
- 11月 10日、佐世保海軍工廠誕生

- 12月 ライト兄弟の動力飛行成功

1904 明治37年

2月 日露戦争(～1905)

4月 セントルイス万国博覧会開催

1905 明治38年

3月 三菱長崎造船所第三船渠、船舶の大型化に備え長崎湾の入り江を利用して完成(当時東洋最大のドック)

9月 ポーツマス条約(セオドア・ローズベルト斡旋、日本全権小村寿太郎とロシア全権ウィッテ)

4月 リエージュ万国博覧会開催

1908 明治41年

3月 三池港、三池炭を大型船で直接搬出するための港として建造

1909 明治42年

9月 カンチレバークレーン(英国アップルビー社製、電動モーターで駆動される日本初のクレーン)、三菱長崎造船所に設置。現在も機械工場で製造した蒸気タービンや大型船舶用プロペラなどの船積用として利用

1910 明治43年

8月 29日、日韓併合

8月頃 三池炭鉱が国内最大の炭鉱に

4月 第二回ブリュッセル万国博覧会開催

2014 平成26年

6月 カタールのドーハで行われた第三八回世界遺産委員会で「富岡製糸場と絹産業遺産群」の世界遺産への登録が決定

2015 平成27年

7月 ドイツのボンで行われた第三九世界遺産委員会で「明治日本の産業革命遺産 製鉄・製鋼、造船、石炭産業」の世界遺産への登録が決定

参考文献◉祐岡武志「もっと深く知るために　広げる！感じる！世界遺産!!」（本書、171頁以下より）、また本書の各稿も参照した。東洋紡績（株）編・発行『東洋紡績七十年史』（一九五三年）。宮永孝『高杉晋作の上海報告』（新人物往来社、一九九五年）。道迫真吾『萩の近代化産業遺産　世界遺産への道』萩ものがたり（二〇〇九年）。岩下哲典・塚越俊志著『レンズが撮らえた幕末の日本』（山川出版社　二〇一一年）。トーマス・L・ケネディ著・細見和弘訳『中国軍事工業の近代化　太平天国の乱から日清戦争まで』（昭和堂、二〇一三年）二一四頁。浦賀歴史研究会編・発行『浦賀ドックとレンガ――横須賀の近代化遺産』（二〇一四年）。橋本敬之『勝海舟が絶賛し、福沢諭吉も憧れた幕末の知られざる巨人江川英龍』（角川SSC新書、二〇一四年）。富岡製糸場世界遺産伝道師協会編『富岡製糸場事典』（上毛新聞社、二〇一四年）。北区飛鳥山博物館編『日本・ベルギー有効五〇周年　近代工業化のルーツ・滝野川反射炉――まなぶ・つくる・うけいれる』（北区教育委員会、二〇一六年）。金澤裕之『幕府海軍の興亡――幕末期における日本の海軍建設』（慶應義塾大学出版会、二〇一七年）。田中仁・菊池一隆・加藤弘之・日野みどり・岡本隆司・梶谷懐著『新・図説中国近現代史――日中新時代の見取図』（改訂版）（法律文化社、二〇二〇年）三三頁をもとに作成。この年表内の日本の工場は一八六八年以降、最終的に管轄した部署などを表記している。文化庁「世界遺産一覧」（https://www.bunka.go.jp/seisaku/bunkazai/shokai/sekai_isan/ichiran/　二〇二二年八月八日アクセス）などを参照。

あとがき

二〇一八年八月一九日、私は佐賀県の三重津海軍所跡に立って、VRで幕末の三重津海軍所の全容を見ていました。ここは、藩主鍋島直正のもと、藩をあげて、近代技術の開発に取り組んだ幕末佐賀を象徴する場所です。

前日、佐賀大学には東は静岡韮山から西は長崎まで六校の高校生約五〇名が集い、それぞれの地域の近代産業遺産について報告交流会を行いました。題して「ユネスコ世界遺産高校生会議:in佐賀」。私が代表を務める「地域から考える世界史」プロジェクトと佐賀大学地域学歴史文化研究センター主催による高校生会議です。

わが「地域から考える世界史」プロジェクトは、二〇〇七年、石見銀山の世界文化遺産登録を契機に、日本列島各地の世界史とつながる史実を掘り起こし、教材化と市民への啓発活動を目的に結成されました。会員は、北海道から沖縄まで小・中学校、高校・大学等の教員と研究者など四八〇人から成ります。日ごろの活動は、ネット上で歴史や教育に関係する事柄の意見や情報交換を主な活動とし、二年に一回程度、各地で中高生・市民対象のセミナーを開催いたします。会員の研究成果を集約して、二〇一五年に勉誠出版から『地域から考える世界史――日本と世界をつなぐ』を刊行いたしました。

さて、明治維新一五〇年のその年、各地で催し物が開催された中で、高校生たちの集いの地として、佐賀の地を選んだのには、二〇一〇年の冬、佐賀城本丸歴史館を訪れたことが関係しています。

佐賀城本丸歴史館に入館してすぐの展示室に地球儀がありました。次の部屋から世界―東アジア―日本の順番で展示されており、佐賀県全体が世界史を、世界を意識しているのだと感じました。この意識は、後の二〇一八年の明治維新一五〇年を記念した「肥前さが幕末維新博覧会」のスローガンの「その時、佐賀は世界を見ていた」という言葉に結実しますが、もちろん二〇一〇年当時は私はまだそこまでは想定していませんでした。しかしながら、この地なら、「地域から考える世界史」プロジェクトの企画にふさわしいと思えたのは確かです。

こうして、佐賀城本丸歴史館の先生方や佐賀大学の青木歳幸先生をはじめとする地域学歴史文化研究センターの先生方、幕末佐賀研究会の皆様にご無理をお願いして、佐賀大学を会場として「ユネスコ世界遺産高校生会議ｉｎ佐賀」を開催することができました。

この会議での高校生たちの報告、発表は、いずれも自分たちの足で現地を訪れ、調査・研究したもので、近代化の光の部分だけでなく影の部分にも触れられた力作ぞろいでした。中には、佐賀工業高校のように、現地田布施の反射炉のジオラマを製作したものもあり、高校生の表現力の凄さに驚きました。

本書は、二〇一五年に「明治日本の産業革命遺産」が世界文化遺産に登録されたことを記念して「地域から考える世界史」プロジェクトに関係する各地の教員や研究者が、自分たちの地域に存在する近代化遺産について、その歴史や遺産価値や教育活用の意義を述べたものです。いずれの論稿からも浮かびあがってくることは、西欧列強による東アジア進出と植民地化への脅威から、日本を守るために、難解な西欧の技術書を読み解き、試行錯誤を繰り返しながら研究を重ねていく藩士や蘭学者達の姿でした。彼らは、ただ、書物からの西洋の技術の模倣だけにとどまらず、自分たちの地域が持つ、「ヒト」「モノ」「ワザ」を巧みに活用しながら事を成し遂げました。更に驚いたことに、その技術や人材を藩だけの独占物にすることなく、同じ開発を行っている他藩や幕府に惜しげもなく提供していたことでした。その根底には、藩を超えた日本（今の言葉でいえばオール・ジャパン）という意識が存在していたからだと思います。

ところで、本年四月から全国の高等学校で始まった「歴史総合」は、これまで、別々に教えられていた世界史と日本史を融合し、世界史の中で日本の近現代を考える科目です。その大きな目的は、過去の史実の理解に学習の中心が置かれていた歴史教育を、過去の史実から現代の諸課題を考えていく学習に転換していくことにあります。その根底を流れるコンセプトは、学習指導要領の第一章「歴史の扉」の小項目「歴史とわたくしたち」において、「私たちの生活や身近な地域などに見られる諸事象をもとに、それらが日本や日本周辺の地域および世界の歴史とつながっていることを理解する」と規定されていることにあらわれています。まさに本書で扱う「明治日本の産業革命遺産」を学ぶことにつながるものと考えます。

列島各地に存在する「明治日本の産業革命遺産」は、一九世紀前半の産業革命をへた西欧列強のアジア進出という歴史を背景にし、日本の「富国強兵」のための近代化をはかるために建造された遺産です。日本国内にあるため、一見、世界史とは無関係に思われがちですが、一つ一つの遺産をつぶさに見ていくと、西欧で開発された技術が凝縮しており、そこに世界史を見ることができます。またそれらの「ワザ」は、各地で連綿と受け継がれてきた日本独自の技術を活かしながら、作り合わされたものです。藩士たちの「サムライ・スピリット」からも、日本人の叡智を感じることができます。

かつて「地域から考える世界史」プロジェクトが軌道にのった二〇一〇年代、各地の教員から「自分のところには、世界につながるような史実が見当たらないので、教材化はとても難しい」という声をよく聞きました。確かに所によっては、世界とつながる史実があまり見られない地域もあるかもしれません。しかし、地域にある様々な文化遺産一つとっても、それが世界と無関係とは言えないように思うのです。このことをすでに、一九五五年の段階で、歴史学者の上原専禄（東京産業大学長・東京商科大学長・一橋大学社会学部長を歴任）が、「日本史を掘り下げていけば、必ず世界史にぶつかる」と言って世界史と日本史の統一的把握を説きました（吉田悟郎『世界史の方法』青木書店、一九八三年、一二一―一三頁参照）。上原は、一見、無関係のように見える地域の史実一つとっても、そこには、その時代の世界が反映していることをうったえたかったものと思います。

何度も言いますが、「歴史総合」は始まりました。しかし、地域と世界史をつなぐ「歴史総合」の重要なコンセプトである第一章の「歴史の扉」は、十分に理解されていないように思います。これでは、

「歴史教育」を変えるべく生まれた「歴史総合」が、従来の史実の理解中心の教育と何ら変わらないものになってしまうのではないでしょうか。

本書が描く「明治日本の産業革命遺産」は、身近な地域と日本、世界をつなげていくことを学ぶことができる貴重な素材です。

確かに遺産は、八県の二三遺産しかありませんが、登録されていない遺産の中にも、近代遺産をはじめとした文化遺産は、各地に散在しています。私たちは、この世界遺産を学ぶことで、自分たちの地域の近代遺産がどのような世界史的意義を持っているかを考える契機になると思います。

先日、二〇一八年の佐賀でのイベントでお世話になった佐賀の高校教員の平川秀樹先生と電話で話す機会がありました。先生は、「これからも生徒とともに、フィールドワークをしながら、歴史を学んでいければ」と話されました。本書からヒントを得て、日本各地に多くの「平川先生」が現れることを期待して、あとがきとさせていただきます。

末筆ながら、本書に貴重な文章をお寄せくださいました諸先生方、さまざまにご協力いただきました皆様、誠にありがとうございました。勉誠社編集部の黒古麻己さんに心から感謝いたします。

二〇二二年一一月二三日ワールドカップ初戦での日本勝利の報に接しながら

藤村泰夫

執筆者紹介

【編者】

岩下哲典（いわした・てつのり）

一九六二年生まれ。東洋大学文学部史学科・大学院文学研究科史学専攻教授。

専門は日本近世・近代史。

著書に『江戸のナポレオン伝説』（中央公論新社、一九九九年）、『江戸の海外情報ネットワーク』（吉川弘文館、二〇〇六年）、『龍馬の世界認識』（共著、藤原書店、二〇一〇年）、『江戸無血開城　本当の功労者は誰か？』（吉川弘文館、二〇一八年）、編著に『江戸時代来日外国人人名辞典』（東京堂出版、二〇一一年）、『地域から考える世界史』（勉誠出版、二〇一七年）などがある。

藤村泰夫（ふじむら・やすお）

一九六〇年生まれ。山口県立西京高等学校教諭。

専門は西洋史。地域から考える世界史の視点で新しい歴史教育の構築を考えている。

著書に『世界史から見た日本の歴史三八話』（共著、文英堂、二〇〇〇年）、『世界史の授業デザイン』（共著、明治図書、二〇一三年）、編著に『地域から考える世界史――日本と世界を結ぶ』（勉誠出版、二〇一七年）などがある。

【執筆者】※掲載順

今野日出晴（こんの・ひではる）

一九五八年生まれ。岩手大学教育学部教授。

専門は歴史教育・日本現代史。

著書に『歴史学と歴史教育の構図』（東京大学出版会、二〇〇八年）、『記憶と認識の中のアジア・太平洋戦争――岩波講座　アジア・太平洋戦争　戦後篇』（共著、岩波書店、二〇一五年）、『第4次現代歴史学の成果と課題3　歴史実践の現在』（共著、績文堂書店、二〇一七年）などがある。

桜井祥行（さくらい・よしゆき）

一九六一年生まれ。富士市立高等学校長。

専門は日本近代史の金石学研究。

著書に『伊豆と世界史』（批評社、二〇〇二年）、『静岡県の歴史散歩』（共著、山川出版、二〇〇六年）、『静岡と世界』（羽衣出版、二〇一四年）などがある。

道迫真吾（どうさこ・しんご）

一九七二年生まれ。萩博物館総括学芸員。

専門は明治維新史・洋学史。幕末長州藩の科学技術史の解明に力を入れている。

著書に『萩の産業遺産を歩く―知られざる幕末の物語』（萩ものがたり、二〇二〇年）、論文に「幕末長州藩における洋式大砲鋳造――鋳物師郡司家を中心に」（『近代日本 製鉄・電信の源流』岩田書院、二〇一七年）などがある。

吉満庄司（よしみつ・しょうじ）

一九六五年生まれ。鹿児島県歴史資料センター黎明館学芸専門員や鹿児島県明治維新一五〇周年推進室専門員等を経て、現在は鹿児島県立大口高等学校教頭。

幕末維新期の薩摩藩について、対外関係史を中心に研究。
著書に『激動の明治維新』（歴史資料センター黎明館、二〇〇三年）、『明治維新と郷土の人々』（鹿児島県、二〇一六年）などがある。

藤井祐介（ふじい・ゆうすけ）
一九八二年生まれ。佐賀県立佐賀城本丸歴史館企画学芸課学芸担当係長（学芸員）。
専門は日本近世史。
著書に『島義勇入北記』（編著、佐賀城本丸クラシックス1、佐賀県立佐賀城本丸歴史館、二〇二一年）がある。

新木武志（しんき・たけし）
一九五九年生まれ。長崎県の高校・高専・大学で社会系教科を担当。
専門は歴史教育研究・長崎近現代史研究。
著書に『長崎――記憶の風景とその表象』（共著、晃洋書房、二〇一七年）、『原爆後の75年――長崎の記憶と記録をたどる』（共著、書肆九十九、二〇二一年）などがある。

山田雄三（やまだ・ゆうぞう）

一九七八年生まれ。福岡大学社会連携センター助教。

大学と地域をつなぐ地域連携コーディネーターを務めるとともに、歴史学や地域共生学の切り口から地域づくり・まちづくりの研究及び実践活動に取り組む。

著書に『地域から考える世界史――日本と世界を結ぶ』（共著、勉誠出版、二〇一七年）、『ニュータウンのあの頃とこれから――日の里団地一九七一～二〇二一』（監修・共著、弦書房、二〇二一年）などがある。

神野晋作（じんの・しんさく）

一九八〇年生まれ。福岡県立糸島高等学校教諭・郷土博物館学芸員。

専門は日本考古学（古墳時代）。

著書に『福岡県立糸島高等学校郷土博物館　公式ガイドブック』（共著、二〇一六年）、論文に「高校生の考古学サークル・研究会　糸島高校郷土博物館と歴史部の活動について」（共著、『月刊考古学ジャーナル』七一一号、二〇一八年）、「学校所蔵資料の活用――学校現場に聴く」（共著、『考古学研究』第六四巻第四号、二〇一八年）などがある。

祐岡武志（ゆうおか・たけし）

一九六七年生まれ。阪南大学経済学部教授。

専門は社会科教育学（歴史教育）、ＥＳＤ（持続可能な開発のための教育）。

世界遺産検定一級・世界遺産アカデミー認定講師。

著書に『学べる！世界遺産の本 奈良』（共著、京阪奈情報教育出版、二〇一二年）、『教育実践学としての社会科授業研究の探求』（共著、風間書房、二〇一五年）、『地域から考える世界史』（共著、勉誠出版、二〇一七年）、『世界史教育内容編成論研究』（単著、風間書房、二〇二二年）などがある。

塚越俊志（つかごし・としゆき）

一九八二年生まれ。東洋大学非常勤講師。

専門は日本近世・近代史専攻。

編著に『レンズが撮らえた幕末　日本の事件史』（山川出版社、二〇二二年）、論文に「松平定信の海防計画について」（『弘前大学國史研究』一五一号、二〇二一年）、「横須賀製鉄所創設と柴田剛中」（『洋学』二八号、二〇二一年）、「明治最初の条約交渉――日本とスウェーデン・ノルウェー条約締結の意義」（『京浜歴科研年報』三四号、二〇二二年）などがある。

編者略歴
岩 下 哲 典（いわした・てつのり）
1962年生まれ。東洋大学文学部史学科・大学院文学研究科史学専攻教授。
専門は日本近世・近代史。
著書に『江戸のナポレオン伝説』（中央公論新社、1999年）、『江戸の海外情報ネットワーク』（吉川弘文館、2006年）、『龍馬の世界認識』（共著、藤原書店、2010年）、『江戸無血開城　本当の功労者は誰か？』（吉川弘文館、2018年）、編著に『江戸時代来日外国人人名辞典』（東京堂出版、2011年）、『地域から考える世界史』（勉誠出版、2017年）などがある。

藤 村 泰 夫（ふじむら・やすお）
1960年生まれ。山口県立西京高等学校教諭。
専門は西洋史。地域から考える世界史の視点で新しい歴史教育の構築を考えている。
著書に『世界史から見た日本の歴史三八話』（共著、文英堂、2000年）、『世界史の授業デザイン』（共著、明治図書、2013年）、編著に『地域から考える世界史―日本と世界を結ぶ』（勉誠出版、2017年）などがある。

見る・知る・考える
明治日本の産業革命遺産
――日本と世界をつなぐ世界遺産

2022年12月20日　　初版発行

編　者　岩下哲典・藤村泰夫

制　作　株式会社勉誠社
発　売　勉誠出版株式会社
〒101-0061　東京都千代田区神田三崎町 2-18-4
TEL：(03)5215-9021(代)　FAX：(03)5215-9025

印　刷
製　本　モリモト印刷㈱

ISBN978-4-585-32023-4　C0021

地域から考える世界史
日本と世界を結ぶ

列島各地に世界史を見出す多彩な事例と取り組みを紹介。暗記中心ではない、生きた学びを実現する新たな歴史教育のアイデアとモデルを提示する。

桃木至朗 監修／藤村泰夫・岩下哲典 編・本体四二〇〇円（＋税）

近世日本の歴史叙述と対外意識

近世日本において、自己と他者をめぐる言説が記憶となり、語られていく諸相を捉え、近世そして近代日本の世界観・思考のあり方を照らし出す。

井上泰至 編・本体八〇〇〇円（＋税）

「近世化」論と日本
「東アジア」の捉え方をめぐって

諸学問領域から「日本」そして「近世化」を論究することで、従来の世界史の枠組みや歴史叙述のあり方を捉えなおし、東アジア世界の様態や変容を描き出す画期的論集。

清水光明 編・本体二八〇〇円（＋税）

幕末政治と開国
明治維新への胎動

近代はいかに準備されたのか。明治維新への胎動が始まった近世日本の状況を数多の諸史料や先行研究を渉猟し、政治・経済・思想・文化など総体的な視点から解明する。

奥田晴樹 著・本体三八〇〇円（＋税）

幕末明治 移行期の思想と文化

「忠臣・皇国のイメージ」「出版文化とメディア」「国家形成と言語・思想」の三つの柱から、移行期における接続と断絶の諸相を明らかにした画期的論集。

前田雅之・青山英正・上原麻有子 編・本体八〇〇〇円（＋税）

スイス使節団が見た幕末の日本 ブレンワルド日記 1862-1867

一級資料であるブレンワルドの日記のうち一八六七年十二月までのものを全編翻訳し初公開。幕末日本において政治・経済に奔走した外国人の足取りを紹介する。

横浜市ふるさと歴史財団・ブレンワルド日記研究会 編
本体九八〇〇円（＋税）

少年写真家の見た明治日本 ミヒャエル・モーザー日本滞在記

モーザー自身による日記・書簡類をひもとき、時代を浮かび上がらせる約一三〇点の豊富な写真資料と共に彼の見聞した明治初期の世界を浮き彫りにする。

宮田奈奈／ペーター・パンツァー 編・本体六五〇〇円（＋税）

文化財としてのガラス乾板 写真が紡ぎなおす歴史像

写真史および人文学研究のなかにガラス乾板を位置付ける総論、諸機関の手法を提示する各論を通じて、総合的なガラス乾板の史料学を構築する。

久留島典子・高橋則英・山家浩樹 編
本体三八〇〇円（＋税）

伝播する蘭学
江戸・長崎から東北へ

鎖国政策下にオランダと貿易をしていた長崎。文化・知識の集積地、江戸。西洋医学が振興した米沢・亀田・庄内の東北各藩。蘭学を軸に、新文化の伝播の諸相を考察。

片桐一男 著・本体六〇〇〇円（＋税）

勝海舟の蘭学と海軍伝習

勝海舟が学んだ蘭学、海軍伝習とはいかなるものであったのか。海舟が海外情報・知識を体得していった足跡をたどり、新しい国家構想へ向けた眼差しを探る。

片桐一男 著・本体四二〇〇円（＋税）

杉田玄白と江戸の蘭学塾
「天眞樓」塾とその門流

江戸時代の蘭学者・杉田玄白が開いた蘭学塾「天眞樓」に着目、その知られざる活動の実態や教育方針を初解明、後世への影響を初公開史料から明らかにする。

片桐一男 著・本体七〇〇〇円（＋税）

出島遊女と阿蘭陀通詞
日蘭交流の陰の立役者

出島を舞台に繰り広げられたカピタンはじめ商館員、船員、遊女のやりとり、それを支える通訳官の活躍を新発見史料と絵画から描き出す。

片桐一男 著・本体三六〇〇円（＋税）

吉田松陰と学人たち

森田節斎、佐久間象山、久坂玄瑞、梁川星巌、月性……。松陰のありよう、思想に大きな影響を与えた、多くの学人たちの関係を諸資料から解き明かす。

徳田武 著・本体一〇〇〇〇円（＋税）

江戸庶民の読書と学び

当時の啓蒙書や教養書、版元・貸本屋の記録など、人びとの読書と学びの痕跡を残す諸資料の博捜により、近世における教養形成・書物流通の実情を描き出す。

長友千代治 著・本体四八〇〇円（＋税）

江戸時代生活文化事典
重宝記が伝える江戸の知恵

学び・教養・文字・算数・農・工・商・礼法・服飾・俗信・年暦・医方・薬方・料理・食物等々、江戸時代に生きる人々の生活・思想を全面的に捉える決定版大事典。

長友千代治 編著・本体二八〇〇〇円（＋税）

明治の教養
変容する〈和〉〈漢〉〈洋〉

社会の基盤をなす「知」は、いかに変容していったか。和・漢・洋が並び立ち、混じり合いながら形成された、近代以降、現代まで続く教養体系の淵源を探る。

鈴木健一 編・本体七五〇〇円（＋税）